SYSTEMATISCHES VERZEICHNIS DER WERKE VON PJOTR ILJITSCH TSCHAIKOWSKY

EIN HANDBUCH FÜR DIE MUSIKPRAXIS

HERAUSGEGEBEN VOM TSCHAIKOWSKY-STUDIO INSTITUT INTERNATIONAL

MUSIKVERLAG HANS SIKORSKI · HAMBURG

© 1973 by Musikverlag Hans Sikorski, Hamburg
Alle Rechte vorbehalten / All rights reserved / Printed in Germany
Fotosatz und Druck: Hamburger Druckereigesellschaft Kurt Weltzien K. G.
Einband: Verlagsbuchbinderei Ladstetter GmbH, Hamburg
Ed. Nr. 795   ISBN 3-920880-08-0

Inhaltsverzeichnis

Vorwort

Als eines der Ergebnisse seiner zwanzigjährigen Tätigkeit legt das TSCHAIKOWSKY-STUDIO diese Arbeit vor.

Das Verzeichnis basiert auf der fundamentalen sowjetischen Publikation „Musikalischer Nachlaß Tschaikowskys – Geschichte der Werke", herausgegeben von der Akademie der Wissenschaften der UdSSR und dem Tschaikowsky-Museum in Klin (Moskau 1958). Ergänzend wurde die „Gesamtausgabe der Werke" Tschaikowskys (Staatl. Musikverlag, Moskau 1940ff), seine Tagebücher und sein Briefwechsel herangezogen. Für die tabellarische Anordnung konnte das kurzgefaßte Handbuch „Tschaikowskys musikalischer Nachlaß" von G. S. Dombajew (Moskau 1958) entscheidende Anregungen vermitteln.

In mehreren Fällen wurden Auskünfte unmittelbar aus Moskau eingeholt. Hier danken wir insbesondere dem sowjetischen Musikwissenschaftler J. N. Chochlow für die wertvolle und großzügige Unterstützung unserer Arbeit und für die Vermittlung zahlreichen wissenschaftlichen Materials.

Für spezielle Auskünfte sind wir ferner der Archivarin Frau Xenia Dawydowa, Mitglied des Direktoriums des Tschaikowsky-Museums in Klin, zu großem Dank verpflichtet.

An dieser Stelle möchten wir dem Sikorski Verlag für die großzügige Edition und dem Herstellungsleiter, Herrn Jürgen Köchel, für seine aufmerksame und verständnisvolle Redaktion danken. Die ergänzenden Übersichten des Anhangs wurden gleichfalls von ihm angeregt und zusammengestellt.

Dieses erste Gesamtverzeichnis der Werke von P. I. Tschaikowsky in deutscher Sprache liefert eine Fülle klärender Informationen, an denen es seit langem im Westen mangelt. Die Aufnahme authentischer deutscher Adaptionen von Bühnen- und Vokalwerken vermittelt gleichzeitig ein Bild vom deutschen Beitrag.

Möge dieses Handbuch aufgrund seiner umfassenden Übersicht Anregungen vermitteln und das Interesse und Verständnis auch für weniger bekannte Werke Tschaikowskys wecken.

Hamburg, 1972

TSCHAIKOWSKY-STUDIO
Louisa v. Westernhagen

Verzeichnis der Abkürzungen:

TSCHM   Staatliches Tschaikowsky-Museum, Klin

ZMMK   Staatliches Zentralmuseum für Musikkultur
(Glinka-Museum), Moskau

MBKL   Musikbibliothek des Staatlichen Theaters für Oper und Ballett
(Kirow-Theater), Leningrad

ÖBL   Staatliche Öffentliche Bibliothek (Ssaltikow-Schtschedrin),
Leningrad

ZLKM   Staatliches Zentralarchiv für Literatur und Kunst, Moskau

TSCH-ST Tschaikowsky-Studio, Hamburg

GA   Gesamtausgabe

KA   Klavierauszug (*= vom Komponisten bearbeitet)

Hinweise zur Benutzung:

Bei der Wiedergabe russischer Namen und Titel wurde im allgemeinen die heute übliche Transkription (Mannheimer Beschluß vom 2. März 1962) verwendet. Geringfügige Differenzierungen (ss für c; sh für ж), auf die der Herausgeber Wert legte, entsprechen dem Zeitgebrauch.

Für die Aufnahme des Moskauer Tschaikowsky-Verlegers Pjotr Iwanowitsch Jürgenson war die international übliche Schreibweise seines Verlages (P. I. Jurgenson) maßgeblich. Für St. Petersburg steht generell die Kurzform Petersburg.

Die in den Rubriken „Entstehungszeit" und „Uraufführung" angegebenen Daten folgen dem bis zum Jahre 1918 in Rußland gültigen Julianischen Kalender, der im Vergleich zum heute üblichen Gregorianischen Kalender 12 Tage vordatiert. Bei Uraufführungen außerhalb Rußlands sind beide Daten angegeben: älteres Datum = Julianischer Kalender, jüngeres Datum = Gregorianischer Kalender.

Bei den Erstveröffentlichungen der Orchester- und Bühnenwerke wurde stets das Erscheinungsjahr der Partitur (nicht des meist erheblich früher erschienenen Klavierauszuges) registriert. Ausnahmen wurden gesondert vermerkt. Die vom Komponisten selbst bearbeiteten Klavierauszüge wurden durch Stern gekennzeichnet.

In der letzten Rubrik „Aufbewahrungsort des Manuskriptes" konnte in einzelnen Fällen nur auf die wesentlichen Teile des jeweiligen Autographs verwiesen werden. Genaue Angaben zu den sorgfältig registrierten Beständen finden sich in dem bereits erwähnten grundlegenden Werk „Musikalischer Nachlaß Tschaikowskys" (Moskau 1958) und in den Katalogen der Archive in Klin und Moskau.

Eine umfassende Sammlung des Schrifttums von und über Tschaikowsky, die vollständige Gesamtausgabe und zahlreiche Einzelausgaben der Werke befinden sich im TSCHAIKOWSKY-STUDIO, Hamburg, wo sie von Interessenten eingesehen werden können. Hier steht auch ein umfangreiches Archiv von Schallplattenaufnahmen und Tonbandkopien zur Verfügung.

OPERN

opus	Titel	Entstehungszeit	Zahl der Akte und Bilder	Librettist, literarische Quelle
3	Воевода **Der Wojewode** *(Der Heerführer)*	8. März 1867 bis Ende Juli 1868	3 Akte/ 4 Bilder	A. N. Ostrowski (1. Akt), P. I. Tschaikowsky (2. und 3. Akt); nach einer Komödie von A. N. Ostrowski: „Der Wojewode" oder „Traum an der Wolga"
–	Ундина Undine	Januar bis Juli 1869	3 Akte	W. A. Ssollogub, nach der gleich- namigen Erzählung von de la Motte Fouqué (russ. Adaption von W. A. Shukowski)
–	Опричник **Der Opritschnik** *(Der Leibwächter)*	Februar 1870 bis April 1872	4 Akte/ 5 Bilder	P. I. Tschaikowsky, nach der gleichnamigen Tragödie von I. I. Lashetschnikow
14	Кузнец Вакула **Schmied Wakula**	Juni bis 21. August 1874; Ouvertüre am 5. Oktober 1874 beendet; Neufassung (1885): „Die Pantöffelchen" (s. S. 10)	3 Akte/ 8 Bilder	J. P. Polonski, nach Gogols Erzählung: „Die Nacht vor Weihnachten"
24	Евгений Онегин **Eugen Onegin**	Mitte Mai 1877 bis 30. Januar 1878	3 Akte/ 7 Bilder	P. I. Tschaikowsky und K. S. Schilowski, nach dem gleichnamigen Versepos von A. S. Puschkin
–	Орлеанская дева **Die Jungfrau von Orléans**	5. Dezember 1878 bis 23. August 1879	4 Akte/ 6 Bilder	P. I. Tschaikowsky, nach Schillers gleichnamigem Drama (russ. Adaption von W. A. Shukowski) und Motiven aus J. P. Barbiers Drama „Jeanne d'Arc" (Libretto der Opern von Ch. Gounod und Auguste Mermet)
–	Мазепа **Mazeppa**	Juni 1881 bis 16. April 1883	3 Akte/ 6 Bilder	W. P. Burenin, nach A. S. Puschkins Dichtung „Poltawa"; Überarbeitung von P. I. Tschaikowsky

Widmung bzw. Anlaß	Ort und Datum der Uraufführung, musikalische Leitung	Erstveröffentlichung und Erscheinen in der GA	Aufbewahrungsort des Manuskriptes (Partitur bzw. Skizzen)
	Moskau, Bolschoi Theater, 30. Januar 1869, E. N. Merten	P. I. Jurgenson; (1873 Entr'acte und Tänze der Landmädchen; 1892 Ouvertüre) GA Bde. 1a, b, c (1953) Klavierauszug (*3. Akt): GA Ergänzungsband 1 (1953) (von P. A. Lamm und W. J. Schebalin rekonstruiert)	Die Partitur wurde von Tschaikowsky vernichtet. ZMMK (Ouvertüre und Tänze der Landmädchen) TSCHM (übrige Skizzen)
	Moskau, 16. März 1870, E. N. Merten (Fragmente)	GA Bd. 2 (1950), Partitur und Klavierauszug der Fragmente: Introduktion (später im 2. Satz der 2. Sinfonie verwendet); Arie der Undine (später in „Schneewittchen"); Adagio 2. Akt (später in „Schwanensee"); Finale 3. Akt	Die Partitur wurde von Tschaikowsky vernichtet. Fragmente befinden sich in der Bibliothek des Bolschoi Theaters TSCHM (Finale 3. Akt)
Großfürst Konstantin Nikolajewitsch	Petersburg, Marinski-Theater, 12. April 1874, E. F. Naprawnik	W. W. Bessel (1896) GA Bde. 3a, b (1959) Klavierauszug: GA Bd. 34 (1959)	MBKL
Großfürstin Helena Pawlowna. Für einen Wettbewerb der Russischen Musikgesellschaft (Tschaikowsky erhielt den 1. Preis).	Petersburg, Marinski-Theater, 24. November 1876, E. F. Naprawnik	P. I. Jurgenson (1876) GA Bd. 35 (1956) (jeweils *Klavierauszug)	MBKL (Partitur mit Änderungen von 1878) TSCHM (Fragmente der Partitur und Skizzen)
	Moskau, 17. März 1879, N. G. Rubinstein (mit Studenten des Konservatoriums)	P. I. Jurgenson (1880) GA Bd. 4 (1948) *Klavierauszug GA Bd. 36 (1946)	ZMMK MBKL (Ecossaise) TSCHM (Skizzen davon)
E. F. Naprawnik	Petersburg, Marinski-Theater, 13. Februar 1881, E. F. Naprawnik	P. I. Jurgenson (1899) GA Bde. 5a, b (1964) *Klavierauszug: GA Bd. 37 (1963)	ZMMK TSCHM (Skizzen)
Die Oper behandelt das Schicksal des Kosaken-Hetmans Iwan Stepanowitsch Mazepa (um 1654–1709)	Moskau, Bolschoi Theater, 3. Februar 1884, I. K. Altani	P. I. Jurgenson (1899) GA Bde. 6a, b (1969) *Klavierauszug: GA Bd. 38 (1968)	ZMMK TSCHM (Skizzen)

→ *Fragmente* hier stets mit der in Rußland üblichen Bedeutung: einzelne, in sich abgeschlossene Teile eines größeren Werkes (z. B. Einzelsätze von Suiten)

opus	Titel	Entstehungszeit	Zahl der Akte und Bilder	Librettist, literarische Quelle
–	Черевички **Die Pantöffelchen** (auch: „Oxanas Launen", „Die goldenen Schuhe". Veränderte Fassung der Oper „Schmied Wakula")	Februar bis 23. März 1885	4 Akte/ 8 Bilder	J. P. Polonski, nach Gogols Erzählung: „Die Nacht vor Weihnachten" (Ergänzungen von P. I. Tschaikowsky)
–	Чародейка **Die Zauberin**	22. September 1885 bis 6. Mai 1887	4 Akte	I. W. Schpashinski, nach seiner gleich- namigen Tragödie
68	Пиковая Дама Pique Dame	19. Januar bis 8. Juni 1890	3 Akte/ 7 Bilder	M. I. Tschaikowsky und P. I. Tschaikowsky nach der gleich- namigen Erzählung von A. S. Puschkin
69	Иоланта Jolanthe	Nach dem 8. Juli bis 15. Dezember 1891	1 Akt	M. I. Tschaikowsky, nach dem lyrischen Theaterstück „König Renés Tochter" des dänischen Dichters Henrik Hertz (russ. Adaption von W. Sotow)

Widmung bzw. Anlaß	Ort und Datum der Uraufführung, musikalische Leitung	Erstveröffentlichung und Erscheinen in der GA	Aufbewahrungsort des Manuskriptes (Partitur bzw. Skizzen)
	Moskau, Bolschoi Theater, 19. Januar 1887, P. I. Tschaikowsky	P. I. Jurgenson (1898) GA Bde. 7a, b (1951) *Klavierauszug: GA Bd. 39 (1951)	ZMMK TSCHM (Skizzen)
	Petersburg, Marinski-Theater, 20. Oktober 1887, P. I. Tschaikowsky	P. I. Jurgenson (1901) GA Bde. 8a (1948), 8b (1949) *Klavierauszug: GA Bde. 40a, b (1949)	ZMMK TSCHM (Skizzen)
	Petersburg, Marinski-Theater, 7. Dezember 1890, E. F. Naprawnik	P. I. Jurgenson (1891) GA Bde. 9a, b, c (1950) *Klavierauszug: GA Bd. 41 (1950)	MBKL TSCHM (Skizzen)
Auftrag der Kaiserlichen Oper in Petersburg	Petersburg, Marinski-Theater, 6. Dezember 1892, E. F. Naprawnik	P. I. Jurgenson (1892) GA Bd. 10 (1953) Klavierauszug: GA Bd. 42 (1953)	ZMMK (Partitur) MBKL (Arie des Vaudemont) TSCHM (Skizzen)

Ergänzungen

Geplante Werke (Skizzen/Fragmente erhalten)

Das Gewitter, 1864/67 (Libretto: A. N. Ostrowski) - *Ouvertüre (s. S. 50)*
Mandragora, 1869/70 (Szenarium: S. A. Ratschinski) - *Chor mit Orchester (s. S. 22)*
Schneeflöckchen, 1873 (nach A. N. Ostrowski) - *Teile als Schauspielmusik (s. S. 18)*
Francesca da Rimini, 1876 (Libretto: G. I. Swanzow) - *Ouvertüre (s. S. 52)*
Undine, 1878 (Libretto: M. I. Tschaikowsky nach de la Motte Fouqué) - *Teile (s. S. 8)*
Romeo und Julia, 1879/81 (Libretto: P. I. Tschaikowsky nach W. Shakespeare) –
      Ouvertüre (s. S. 52), Szene mit Duett (s. S. 46)

Bearbeitungen fremder Werke (s. S. 94ff)

D. F. Auber: Le domino noir (Ergänzungen: Introduktion, Chöre und Rezitative, 1868)
W. A. Mozart: Le Nozze di Figaro (Überarbeitung der Rezitative und russische Adaption, 1875)

BALLETTE

opus	Titel	Entstehungszeit	Zahl der Akte und Bilder	Librettist, literarische Quelle
20	Лебединое озеро **Schwanensee**	August 1875 bis 10. April 1876	4 Akte	Verschiedene Quellen (wahrscheinlich nach einem Sujet von W. P. Begitschew und F. W. Geltzer)
66	Спящая красавица **Dornröschen**	Oktober 1888 bis 20. August 1889	Prolog u. 3 Akte/ 4 Bilder	I. A. Wsewoloshski, nach dem Märchen von Ch. Perrault „La Belle au bois dormant"
71	Щелкунчик **Der Nußknacker**	Februar 1891 bis 23. März 1892	2 Akte/ 3 Bilder	I. A. Wsewoloshski, überarbeitet von M. I. Petipa nach der franz. Fassung (A. Dumas) der Erzählung „Nußknacker und Mausekönig" von E. T. A. Hoffmann

Widmung bzw. Anlaß	Ort und Datum der Uraufführung, musikalische Leitung	Erstveröffentlichung und Erscheinen in der GA	Aufbewahrungsort des Manuskriptes (Partitur bzw. Skizzen)
Einige Motive hatte Tsch. für die Dawydowschen Kinder in Kamenka komponiert	Moskau, Bolschoi Theater, 20. Februar 1877, S. J. Rjabow, Choreographie: W. Reisinger	P. I. Jurgenson (1895) GA Bde. 11a, b (1957) *Klavierauszug: GA Bd. 56 (1958)	ZMMK (Partitur) TSCHM (Russischer Tanz)
I. A. Wsewoloshski	Petersburg, Marinski-Theater, 3. Januar 1890, R. E. Drigo; Choreographie: M. I. Petipa	P. I. Jurgenson (1889) GA Bde. 12a–d (1952) Klavierauszug: GA Bd. 57 (1954)	MBKL TSCHM (Skizzen)
Auftragswerk von I. A. Wsewoloshski	Petersburg, Marinski-Theater, 6. Dezember 1892, R. E. Drigo; Choreographie: L. I. Iwanow	P. I. Jurgenson (1892) GA Bde. 13a, b (1955) *Klavierauszug: GA Bd. 54 (1956)	ZMMK TSCHM (Skizzen)

SCHAUSPIELMUSIKEN

opus	Titel	Entstehungszeit	Angaben zum Bühnenwerk bzw. zur mus. Form
–	Римляне в колизее **Die Römer im Kolosseum**	1863/64	Musik für Orchester zum Bühnenstück eines unbekannten Autors
–	Борис Годунов **Boris Godunow**	1863/64	Musik zur Szene „Nacht, Garten, Springbrunnen" aus A. S. Puschkins gleichnamigem Drama
–	Путаница **Eine verwickelte Geschichte**	Dezember 1867	Rezitativ und Couplets zum Lustspiel von P. S. Fedorow
–	Дмитрий Самозванец и Василий Шуйский **Der falsche Dmitri und Wassili Schuiski**	1867	Musik zur dramatischen Chronik von A. N. Ostrowski Introduktion zum 1. Akt und Mazurka (für kl. Orchester)
–	Севильский Цирюльник **Le Barbier de Séville**	vor dem 12. Februar 1872	Komödie von P.-A. de Beaumarchais (russ. Adaption von M. P. Ssadowski) Couplets des Grafen Almaviva (für Tenor und 2 Violinen)
12	Снегурочка **Schneeflöckchen**	März bis 6. April 1873	Musik zu A. N. Ostrowskis Frühlingsmärchen (4 Akte) (für Soli [STT], Chor und kl. Orchester; 19 Nummern)
–	Фея **La Fée**	Juli 1879	Wiegenlied und Walzer zum gleichnamigen Bühnenstück von O. Felier
–	Черногория **Montenegro**	27. bis 30. Januar 1880	Musik zum lebenden Bild: Verlesung des Manifestes zur Kriegserklärung Rußlands an die Türkei (für kl. Orchester)
–	Воевода **Der Wojewode**	13. bis 17. Januar 1886	Musik zum Monolog des Hausgeistes aus A. N. Ostrowskis Komödie „Der Wojewode" oder „Traum an der Wolga" (für Holzbläser, Harfe, Streicher)
67a	Гамлет **Hamlet**	Januar 1891	Musik zu W. Shakespeares gleichnamigem Drama (für Soli [SB] und kl. Orchester; 17 Nummern)

Widmung bzw. Anlaß	Ort und Datum der Uraufführung, musikalische Leitung	Erstveröffentlichung und Erscheinen in der GA	Aufbewahrungsort des Manuskriptes (Partitur bzw. Skizzen)
	unbekannt	nicht veröffentlicht	unbekannt
	unbekannt	nicht verlegt	unbekannt
	Moskau, Dezember 1867, Laienaufführung im Hause Lopuchins	nicht verlegt	unbekannt
	Moskau, Kleines Theater, Saison 1866/1867	Introduktion zum 1. Akt, hrsg. von A. Glumow in „Musik im russischen dramatischen Theater", Moskau 1955, S. 414 GA Bd. 14 (1962)	TSCHM
	Moskau, 12. Februar 1872, Aufführung des Moskauer Konservatoriums	P. I. Jurgenson (1906) GA Bd. 14 (1962)	ZMMK
Auftragskomposition des Bolschoi Theaters	Moskau, 11. Mai 1873, Bolschoi Theater, N. G. Rubinstein	P. I. Jurgenson (1895) GA Bd. 14 (1962) Klavierauszug: GA Bd. 33 (1965)	MBKL ZMMK (Drittes Lied des Lel, Fragment)
	Kamenka, 2. August 1879, bei Dawydows	nicht verlegt	unbekannt
	Eine für den 19. Februar 1880 angesetzte Uraufführung wurde abgesagt	nicht verlegt	unbekannt
	Moskau, 19. Januar 1886, Kleines Theater	„Tschaikowsky auf der Moskauer Bühne", Verlag „Die Kunst", Moskau/ Leningrad 1940, S. 489; GA Bd. 14 (1962)	ZLKM TSCHM (2 Skizzen)
	Petersburg, 9. Februar 1891, Michailowski-Theater	P. I. Jurgenson (1896) GA Bd. 14 (1962)	Partitur: unbekannt TSCHM (Skizzen)

CHÖRE
UND
KANTATEN

opus	Titel	Tonart	Entstehungszeit	Textautor	Besetzung
–	Оратория **Oratorium**		1863/1864	unbekannt	Soli, gem. Chor und Orchester
–	На сон грядущий **Auf den kommenden Schlaf**	c-moll	1863/1864	N. P. Ogarew	1. Fassung: gem. Chor a cappella 2. Fassung: gem. Chor und Orchester
–	К радости **An die Freude** (Kantate)		November bis 29. Dezember 1865	Friedrich v. Schiller, russ. Adaption: K. S. Aksakow, W. G. Benediktow und M. A. Dmitrijew	Soli (SATB), gem. Chor und Orchester
–	Хор цветов и насекомых **Chor der Blumen und Insekten**	D-dur	vor dem 13. Januar 1870	S. A. Ratschinski	Kinderchor, gem. Chor und Orchester
–	Кантата в память двухсотой годовщины рождения Петра Великого **Kantate zum Gedächtnis des 200jährigen Geburtstages Zar Peter des Großen**		Februar bis März 1872	J. P. Polonski	Tenor, gem. Chor und Orchester
–	Хор к юбилею О.А. Петрова **Chor zum Jubiläum von O. A. Petrow**	A-dur	Beendet: 17. Dezember 1875	N. A. Nekrassow	Tenor (Sopr.), gem. Chor und Orchester
41	Литургия св. Иоанна Златоуста **Liturgie des hl. Joann Slatoust (Chrysostomos)**		zwischen dem 4. und 27. Mai 1878	liturgische Texte (Teile s. S. 26)	4-stg. gem. Chor a cappella
–	Кантата **Kantate**		August bis September 1880	Schülerin des Patr. Instituts	4-stg. Frauenchor a cappella
52	Всенощное бдение **Nachtvesper** (Versuch einer Harmonisierung von liturgischen Gesängen)		Mai bis Juni 1881; 7. Februar bis 7. März 1882	liturgische Texte (Teile s. S. 26)	gem. Chor a cappella
–	Вечер **Der Abend**	G-dur	Herbst 1881	N. N. (= P. I. Tschaikowsky)	3-stg. Männerchor a cappella
–	Москва (кантата) **Moskau (Kantate)**		5. bis 24. März 1883	A. N. Maikow	Mezzosopran, Bariton gem. Chor und Orchester

Widmung bzw. Anlaß	Ort und Datum der Uraufführung, musikalische Leitung	Erstveröffentlichung und Erscheinen in der GA	Aufbewahrungsort des Manuskriptes (Partitur bzw. Skizzen)
Studienarbeit	unbekannt	nicht verlegt	unbekannt
	unbekannt	GA Bd. 43 (1941), 1. Fassung GA Bd. 27 (1960), 2. Fassung Klavierauszug: GA Bd. 33 (1965)	TSCHM
Examensarbeit für das Petersburger Konservatorum	Petersburg, Konservatorium, 29.12.1865, A. G. Rubinstein	GA Bd. 27 (1960) Klavierauszug: GA Bd. 33 (1965)	Bibliothek des Leningrader Konservatoriums
Aus der geplanten Oper „Mandragora"	Moskau, 18. Dezember 1870 N. G. Rubinstein	P. I. Jurgenson (1902) GA Bd. 2 (1950) (Partitur und *Klavierauszug)	ZMMK
	Moskau, 31. Mai 1872, K. J. Dawydow (Eröffnung der Polytechnischen Ausstellung)	GA Bd. 27 (1960) Klavierauszug: GA Bd. 33 (1965)	unbekannt
50-jähriges Bühnenjubiläum des Bassisten O. A. Petrow	Petersburg, Konservatorium, 24. April 1876, K. J. Dawydow	GA Bd. 27 (1960) Klavierauszug: GA Bd. 33 (1965)	Bibliothek des Leningrader Konservatoriums
	Kiew, Universitätskirche, Juni 1879	P. I. Jurgenson (1879) TSCH-ST (Abschrift)	ZMMK
	Petersburg, Patriotisches Institut, 1880	nicht verlegt	unbekannt
	Moskau, Konzertsaal der Industrie-Ausstellung, 27. Juni 1882, P. I. Ssacharow	P. I. Jurgenson (1883)	ZMMK TSCHM (Skizzen)
	unbekannt	P. I. Jurgenson (1881) GA Bd. 43 (1941)	unbekannt
Krönung Alexanders III. zum Zaren	Moskau, Kreml (Facetten-Palast), 15. Mai 1883, E. F. Naprawnik	P. I. Jurgenson (1888) GA Bd. 27 (1960) Klavierauszug: GA Bd. 33 (1965)	ZMMK TSCHM (Skizzen)

opus	Titel	Tonart	Entstehungszeit	Textautor	Besetzung
–	Гимнь в честь св. Кирилла и Мефодия **Hymne zu Ehren der Heiligen Cyrill und Methodius**	F-dur	7. März 1885	P. I. Tschaikowsky	gem. Chor a cappella
–	Девять духовномузыкальных сочинений **Neun liturgische Chöre**	s. S. 26	Nr. 1–3: Nov. 1884 Nr. 4–9: April bis August 1885	liturgische Texte	4-stg. gem. Chor a cappella
–	Правоведческая песнь **Chorlied [zum 50-jährigen Bestehen] der Rechtsschule**	B-dur	vor dem 27. September 1885	P. I. Tschaikowsky	gem. Chor a cappella
–	Ангел вопияше **Der Engel jauchzt**	G-dur	beendet: 18. Februar 1887	unbekannt	gem. Chor a cappella
–	Ночевала тучка золотая **Die goldene Wolke schlief**	f-moll	2. bis 5. Juli 1887	M. J. Lermontow	gem. Chor a cappella
–	Блажен, кто улыбается **Glückselig ist, wer lächelt**	F-dur	7. Dezember 1887	K. R. (Großfürst Konstantin)	4-stg. Männerchor a cappella
–	Соловушко **Die Nachtigall**	D-dur	zwischen dem 9. und 12. Januar 1889	P. I. Tschaikowsky	gem. Chor a cappella
–	Привет А. Г. Рубинштейну **Gruß an A. G. Rubinstein**	C-dur	zwischen dem 20. und 30. September 1889	J. P. Polonski	gem. Chor a cappella
–	Не кукушечка во сыром бору **Nicht der Kuckuck im feuchten Fichtenwald**	G-dur	vor dem 14. Februar 1891	N. G. Zyganow	gem. Chor a cappella
–	Что смолкнул веселия глас **Warum der Freuden Stimme wehren?** (Bacchantisches Lied)	B-dur	vor dem 14. Februar 1891	A. S. Puschkin	4-stg. Männerchor a cappella
–	Без поры **Ohne Zeit** *(Mädchens Klagelied)*	e-moll	vor dem 14. Februar 1891	N. G. Zyganow	4-stg. Frauenchor a cappella
–	Весна **Frühling**		unbekannt	unbekannt	Frauenchor a cappella

Widmung bzw. Anlaß	Ort und Datum der Uraufführung, musikalische Leitung	Erstveröffentlichung und Erscheinen in der GA	Aufbewahrungsort des Manuskriptes (Partitur bzw. Skizzen)
1000. Wiederkehr des Todestages des Slawenapostels Methodius	unbekannt	P. I. Jurgenson (1885)	unbekannt
	unbekannt	P. I. Jurgenson (1885) TSCH-ST (Abschrift)	ZMMK TSCHM (Skizzen)
Im Gedenken an den Gründer der Rechtsschule	Petersburg, Rechtsschule, 5. Dezember 1885	Lithographie: Markowa, Petersburg (1885)	unbekannt TSCHM (Skizzen)
	Moskau, 8. März 1887, F. A. Iwanow (Konzert der Moskauer Chorgesellschaft)	P. I. Jurgenson (1906)	TSCHM
	unbekannt	Staatl. Musikverlag, Moskau (1922) GA Bd. 43 (1941)	Tiflis, Staatl. Museum Georgiens
Studentenchor der Moskauer Universität	Moskau, Universität, 8. März 1892, W. G. Malm	P. I. Jurgenson (1889) GA Bd. 43 (1941)	ZMMK
Chor der kaiserlichen Oper in Petersburg	Petersburg, 19. März 1889, F. F. Becker	P. I. Jurgenson (1889) GA Bd. 43 (1941)	unbekannt TSCHM (Skizzen)
A. G. Rubinstein (50-jähriges Künstlerjubiläum am 18. November 1889)	Petersburg, Saal der Adelsgesellschaft, 18. November 1889, P. I. Tschaikowsky	P. I. Jurgenson (1889) GA Bd. 43 (1941)	unbekannt
Chorklasse von I. A. Melnikow	Petersburg, Saal der städt. Duma, 23. April 1891, Chorklasse I. A. Melnikow, F. F. Becker	P. I. Jurgenson, Slg. „Russische Chöre für gem. Stimmen", hrsg. von I. A. Melnikow (1894) GA Bd. 43 (1941)	unbekannt
Chorklasse von I. A. Melnikow	Petersburg, Saal der städt. Duma, 23. April 1891, Chorklasse I. A. Melnikow, F. F. Becker	P. I. Jurgenson, Slg. „Russische Chöre für Männerstimmen", hrsg. von I. A. Melnikow (1894) GA Bd. 43 (1941)	unbekannt
Chorklasse von I. A. Melnikow	Petersburg, Saal der städt. Duma, 23. April 1891, Chorklasse I. A. Melnikow, F. F. Becker	P. I. Jurgenson, Slg. „Russische Chöre für Frauenstimmen", GA Bd. 43 (1941)	TSCHM Skizzen in einem undatierten Brief
	unbekannt	nicht verlegt	unbekannt

Ergänzungen

Bearbeitungen eigener Werke (s. S. 92)

„Legende" für gem. Chor a cappella (1889)

Bearbeitungen fremder Werke (s. S. 96)

„Gaudeamus igitur" für Männerchor und Klavier (1870)
M. Glinka: „Slawsja" aus der Oper „Iwan Ssussanin" für Chor und Streichorchester (1883)
„Gebet" nach dem Quartett B-dur von M. I. Glinka für
4 Singstimmen (SATB) und Klavier (1877) – *Textierung (s. S. 99)*

Einzeltitel der „Neun liturgischen Chöre"

1. Иже херувимы, тайно образующе	Cherubinischer Hymnus I	F-dur
2. Иже херувимы, тайно образующе	Cherubinischer Hymnus II	D-dur
3. Иже херувимы, тайно образующе	Cherubinischer Hymnus III	C-dur
4. Тебе поем, тебе благословим	Hymnus bei der hl. Wandlung	C-dur
5. Достойно есть, яко во истинну блажити тя	Vere dignum (zu Ehren Mariae)	d-moll
6. Отче наш иже еси на небесех	Pater noster	F-dur
7. Блаженни яже избрал и приял еси	Communio zur Totenmesse	Es-dur
8. Да исправится молитва моя	Kommunionsgesang (3 Soli und Chor)	d-moll
9. Ныне силы небесныя с нами	Hymnus (aus der Lit. praesanctificorum)	G-dur

Teile der „Liturgie des hl. Joann Slatoust" op. 41

1. Господи помилуй	Kyrie eleison	C-dur
2. Слава Отцу и сыну и сваятому Духу	Gloria patri	C-dur
3. Приидите поклонимся и припадем ко Христу	Venite adoramus (Introitusvers)	C-dur
4. Аллилуя, аллилуя	Alleluja	C-dur
5. Слава тебе Господи	Gloria tibi	F-dur
6. Иже херувими тайно образующе	Cherubinischer Hymnus	G-dur
7. Господи помилуй	Kyrie eleison	E-dur
8. Верую во единаго Бога Отца Вседержителя	Credo	C-dur
9. Милост мира жертву хваления	Präfation mit Sanctus	G-dur
10. Тебе поем, тебе благословим	Hymnus bei der hl. Wandlung	G-dur
11. Достойно есть, яко во истинну блажити тя	Vere dignum (zu Ehren Mariae)	G-dur
12. Отче наш иже еси на небесех	Pater noster	F-dur
13. Хвалите, Господа с небес	Communio	D-dur
14. Благословен грядыи во имя Господне	Postcommunio	C-dur

Teile der „Nachtvesper" op. 52

1. Благослови душе моя	Introitus (aus Psalm 104)	G-dur
2. Господи помилуй	Kyrie eleison	C-dur
3. Блажен мужъ	Kathesma (aus Psalm 1)	G-dur
4. Господи воззвах к Тебе	aus Psalm 130	G-dur
5. Свете тихий	Abendhymnus „Sanftes Licht"	C-dur
6. Богородице Дево радуйся	Ave Maria	a-moll
7. Бог Господь и явися нам	aus Psalm 94	a-moll
8. Хвалите имя Господне	Polyeleon (aus Psalm 135)	G-dur
9. Благословен еси Господи	Troparion	a-moll
10. От юности моея	Graduale	G-dur
11. Воскресение Христово видевше	Hymnus „Christus ist auferstanden"	a-moll
12. Отверзу уста моя	Katabasis (zu Ehren Mariae)	G-dur
13. Величит душе моя Господа	Magnificat	G-dur
14. Свят Господь Бог наш	Sanctus	C-dur
15. И ныне и присно и во веки веков	Theotokion (zu Ehren Mariae)	C-dur
16. Слава в вышних Богу и на земли мир	Gloria in excelsis	a-moll
17. Взбранной воеводе победительная	Hymnus (zu Ehren Mariae)	C-dur

ROMANZEN
UND
LIEDER

opus	Nr.	Titel bzw. Textanfang	Entstehungszeit	Textautor	Stimmlage
–		Мой гений, мой ангел, мой друг **Mein Genius, mein Engel, mein Freund**	vor 1860	A. A. Fet	mittel
–		Песнь Земфиры **Semphiras Lied**	Anfang der 1860er Jahre	A. S. Puschkin	hoch
–		**Mezza notte**	Anfang der 1860er Jahre	Italienischer Text Autor unbekannt	hoch
6		*Sechs Romanzen*	23. bis 30. November 1869		
	1	Не верь, мой друг, не верь… **Glaub nicht, mein Freund, glaub nicht …**	„	A. K. Tolstoi	hoch
	2	Ни слова, о друг мой… **Kein Wort, o mein Freund …**	„	A. N. Pleschtschejew (nach M. Hartmann)	hoch
	3	И больно, и сладко… **So schmerzlich, so süß …**	„	E. P. Rostoptschina	mittel
	4	Слеза дрожит **Die Träne bebt**	„	A. K. Tolstoi	mittel (Bariton)
	5	Отчего? **Warum?**	„	L. A. Mey (nach Heinrich Heine)	hoch
	6	Нет, только тот, кто знал свиданья жажду… **Nur wer die Sehnsucht kennt …**	„	L. A. Mey (nach J. W. von Goethe)	mittel
–		Забыть так скоро… **So schnell vergessen …**	vor dem 26. Oktober 1870	A. N. Apuchtin	hoch

Stimm-umfang	Tonart	Nr. der DA in der Konkordanzliste	Widmung bzw. Anlaß	Erstveröffentlichung und Erscheinen in der GA	Aufbewahrungsort des Manuskriptes
g-es²	c-moll	80		„Sowjetische Musik" 1940 Nr. 5–6 GA Bd. 44 (1940)	TSCHM
e¹-a²	a-moll			„Sowjetische Musik" 1940 Nr. 5–6 GA Bd. 44 (1940)	TSCHM
cis¹-a²	G-dur			J. Leibrock, Petersburg, 1860er Jahre, GA Bd. 44 (1940)	unbekannt
				P. I. Jurgenson (1870) GA Bd. 44 (1940)	ZMMK
cis¹-fis²	cis-moll	51, 52	A. G. Menschikowa	”	”
dis¹-g²	e-moll	71, 89	N. D. Kaschkin	”	”
h-a²	A-dur	127, 159	A. D. Alexandrowa – Kotschetowa	”	”
des-fes¹	Ges-dur	142	P. I. Jurgenson	”	”
d¹-a² ·	D-dur	147	I. A. Klimenko	”	”
c¹-f²	Des-dur	96	A. A. Chwostowa	”	”
e¹-as²	F-dur/ f-moll	125		P. I. Jurgenson (1873) GA Bd. 44 (1940)	TSCHM (Skizze)

opus	Nr.	Titel	Entstehungszeit	Textautor	Stimmlage
16		*Sechs Romanzen*	Dezember 1872		
	1	Колыбельная песня Wiegenlied	„	A. N. Maikow	hoch
	2	Погоди! Warte noch!	„	N. P. Grekow	hoch
	3	Пойми хоть раз тоскливое признанье... Erfaß' nur einmal mein Geständnis...	„	A. A. Fet	tief (Bariton)
	4	О, спой же ту песню... O sing' mir jenes Lied...	„	A. N. Pleschtschejew (nach F. Gimens)	hoch
	5	Так что же? Und wenn auch...	„	N. N. (= P. I. Tschaikowsky)	hoch
	6	Новогреческая песня Neugriechisches Lied	„	A. N. Maikow	hoch
–		Уноси мое сердце в звенящую даль... Hinweg trage mein Herz...	vor dem 29. September 1873	A. A. Fet	mittel
–		Глазки весны голубые... Die blauen Frühlingsaugen...	vor dem 29. September 1873	M. L. Michailow (nach H. Heine)	mittel
25		*Sechs Romanzen*	Anfang Februar bis Anfang März 1875		
	1	Примиренье Aussöhnung	„	N. F. Schtscherbina	mittel
	2	Как над горячею золой... Wie auf heißer Aschenglut...	„	F. I. Tjuttschew	hoch
	3	Песнь Миньоны Mignons Lied	„	F. I. Tjuttschew (nach J. W. von Goethe)	hoch
	4	Канарейка Der Kanarienvogel	„	L. A. Mey	hoch
	5	Я с нею никогда не говорил... Ich habe nie mit ihr gesprochen...	„	L. A. Mey	tief (Bariton)
	6	Как наладили: дурак... Laß das Trinken sein, du Narr...	„	L. A. Mey	mittel (Bariton)

Stimm-umfang	Tonart	Nr. der DA in der Konkor-danzliste	Widmung bzw. Anlaß	Erstveröffentlichung und Erscheinen in der GA	Aufbewahrungsort des Manuskriptes
				W. W. Bessel (1873) GA Bd. 44 (1940)	ZMMK
dis^1-as^2	as-moll	115, 117	N. N. Rimskaja–Korssakowa (Purgold)	„	„
dis^1-fis^2	a-moll/ A-dur	108	N. A. Rimski-Korssakow	„	„
H-f^1	c-moll	41	H. A. Laroche	„	„
d^1-g^2	G-dur	104, 105	N. A. Hubert	„	„
e^1-a^2	fis-moll	20, 146, 149	N. G. Rubinstein	„	„
des^1-f^2	es-moll	66	K. K. Albrecht	„	„
dis^1-f^2	a-moll			Ztschr. „Nouvelliste" Nr. 11 (November 1873) GA Bd. 44 (1940)	unbekannt
e^1-fis^2	A-dur			Ztschr. „Nouvelliste" Nr. 1 (Januar 1874) GA Bd. 44 (1940)	unbekannt
				W. W. Bessel (1875) GA Bd. 44 (1940)	ZMMK
a-g^2	g-moll	59, 140	A. P. Krutikowa	„	„
fis^1-g^2	h-moll	53, 158	D. A. Orlow	„	„
e^1-ges^2	Es-dur	73	M. D. Kamenskaja	„	„
c^1-g^2	g-moll	128	W. I. Raab	„	„
A-e^1	A-dur	81	I. A. Melnikow	„	„
f-f^1	g-moll	39, 122			

opus	Nr.	Titel	Entstehungszeit	Textautor	Stimmlage
27		*Sechs Romanzen und Lieder*	vor dem 7. April 1875		
	1	На сон грядущий Auf den kommenden Schlaf	″	N. P. Ogarew	mittel
	2	Смотри: Вон облако… Die silberhelle Wolke, sieh …	″	N. P. Grekow	tief
	3	Не отходи от меня… Gehe nicht von mir …	″	A. A. Fet	mittel
	4	Вечер Abend	″	L. A. Mey (nach T. G. Schewtschenko)	mittel
	5	Али мать меня рожала… Hat die Mutter mich geboren zu so großem Leide …	″	L. A. Mey (nach A. Mizkewitsch)	mittel
	6	Моя баловница Mein kleiner Schelm	″	L. A. Mey (nach A. Mizkewitsch)	mittel
28		*Sechs Romanzen*	beendet: 11. April 1875		
	1	Нет, никогда не назову… Nie werde ich den Namen nennen …	″	N. P. Grekow (nach A. de Musset)	hoch
	2	Корольки Die Korallen	″	L. A. Mey (nach W. Ssyrokomli)	hoch
	3	Зачем? Warum?	″	L. A. Mey	hoch
	4	Он так меня любил… Er hat mich so geliebt …	″	A. N. Apuchtin	hoch
	5	Ни отзыва, ни слова, ни привета… Kein Widerhall, kein Wort, kein Gruß …	″	A. N. Apuchtin	mittel (Bariton)
	6	Страшная минута Schreckliche Minute	″	N. N. (= P. I. Tschaikowsky)	hoch
—		Хотел бы в единое слово… Ich wollt', meine Schmerzen ergössen sich …	vor dem 3. Mai 1875	L. A. Mey (nach H. Heine)	hoch
—		Не долго нам гулять… Nicht lange mehr wandeln wir …	vor dem 3. Mai 1875	N. P. Grekow	mittel

Stimm- umfang	Tonart	Nr. der DA in der Konkor- danzliste	Widmung bzw. Anlaß	Erstveröffentlichung und Erscheinen in der GA	Aufbewahrungsort des Manuskriptes
			E. A. Lawrowskaja	P. I. Jurgenson (1875) GA Bd. 44 (1940)	ZMMK
b-f^2	b-moll	9, 27	„	„	„
g-f^2	c-moll	106	„	„	„
a-f^2	F-dur	78, 101	„	„	„
c^1-f^2	B-dur	132, 133	„	„	„
h-ges^2	es-moll	56	„	„	„
a-fis^2	A-dur	15, 21	„	„	„
es^1-as^2	Es-dur	86	A. N. Nikolajew	P. I. Jurgenson (1875) GA Bd. 44 (1940)	ZMMK
fis^1-a^2	fis-moll	30	A. M. Dodonow	„	„
d^1-g^2 (a^2)	d-moll	144, 145	M. I. Iljina	„	„
d^1-a^2	d-moll	42, 85	E. Massini	„	„
c-f^1	c-moll		B. B. Korssow	„	„
cis^1-gis^2	fis-moll	37, 72	E. P. Kadmina	„	„
e^1-g^2	d-moll	61, 165		Ztschr. „Nouvelliste" Nr. 9 (September 1875) GA Bd. 44 (1940)	ZMMK
cis^1-fis^2	E-dur			Ztschr. „Nouvelliste" Nr. 11 (November 1875) GA Bd. 44 (1940)	ZMMK

opus	Nr.	Titel	Entstehungszeit	Textautor	Stimmlage
38		*Sechs Romanzen*	11. Februar bis 3. Juli 1878		
	1	Серенада Дон-Жуана Serenade des Don-Juan	„	A. K. Tolstoi	mittel (Bariton)
	2	То было раннею весной Es war zur ersten Frühlingszeit	„	A. K. Tolstoi	hoch
	3	Средь шумного бала… Inmitten des Balles …	„	A. K. Tolstoi	mittel
	4	О, если б ты могла, хоть на единый миг… O wenn du nur für einen Augenblick …	„	A. K. Tolstoi	mittel (Bariton)
	5	Любовь мертвеца Die Liebe eines Toten	(11. Februar 1878)	M. J. Lermontow	mittel (Bariton)
	6	Pimpinella Флорентинская песня Florentinisches Lied	(vor dem 28. Februar 1878)	Original italienisch (Russ. Adaption von P. I. Tschaikowsky)	mittel
47		*Sieben Romanzen*	Juli bis August 1880		
	1	Кабы знала я… Wenn ich das gewußt …	„	A. K. Tolstoi	hoch
	2	Горними тихо летела душа небесами… Leise schwebte eine Seele …	„	A. K. Tolstoi	hoch
	3	На землю сумрак пал… Zur Erde Dämmerung sank …	„	N. W. Berg (nach A. Mizkewitsch)	hoch
	4	Усни, печальный друг… Schlaf ein, betrübter Freund …	„	A. K. Tolstoi	mittel
	5	Благословляю вас, леса… Ich segne euch, Wälder …	„	A. K. Tolstoi	mittel (Bariton)
	6	День ли царит… Herrschet der Tag …	„	A. N. Apuchtin	hoch
	7	Я ли в поле да не травушка была… War ich nicht ein Gräslein im Felde …	„	I. S. Ssurikow	hoch

Stimm-umfang	Tonart	Nr. der DA in der Konkor-danzliste	Widmung bzw. Anlaß	Erstveröffentlichung und Erscheinen in der GA	Aufbewahrungsort des Manuskriptes
			A. I. Tschaikowsky	P. I. Jurgenson (1878) GA Bd. 44 (1940)	ZMMK
H-e¹ (fis¹)	h-moll	4, 33, 131	„	„	„
es¹-g²	Es-dur	19	„	„	„
h-e²	h-moll	10, 63, 68	„	„	„
cis-es¹	D-dur	3, 95, 102	„	„	„
c-f¹	F-dur	13, 97, 153	„	„	„
a-f²	G-dur	151	„	„	„
			A. W. Panajewa-Karzewa	P. I. Jurgenson (1881) GA Bd. 44 (1940)	
d¹-as²	c-moll	154	„	„	ZMMK TSCHM (Skizzen)
e¹-gis²	E-dur	35	„	„	ZMMK TSCHM (Skizzen)
e¹-f²	F-dur	23	„	„	ZMMK
des¹-e²	Ges-dur	114	„	„	ZMMK
c-f¹	F-dur	49	„	„	ZMMK TSCHM (Skizzen)
dis¹-a²	E-dur	77, 98	„	„	ZMMK
d¹-a²	fis-moll	143	„	„	ZMMK

opus	Nr.	Titel	Entstehungszeit	Textautor	Stimmlage
54		*Sechzehn Kinderlieder*	21. Oktober bis 3. November 1883		hoch
	1	Бабушка и Внучек Großmutter und Enkel	"	A. N. Pleschtschejew	"
	2	Птичка Das Vöglein	"	A. N. Pleschtschejew (nach Ssyrokomli)	"
	3	Весна (Травка зеленеет) Frühling (Es grünt das Gras)	"	A. N. Pleschtschejew (aus dem Polnischen)	"
	4	Мой садик Mein Gärtchen	"	A. N. Pleschtschejew	"
	5	Легенда Legende	"	A. N. Pleschtschejew (aus dem Englischen)	"
	6	На берегу Am Ufer	"	A. N. Pleschtschejew	"
	7	Зимний вечер Winterabend	"	A. N. Pleschtschejew	"
	8	Кукушка Der Kuckuck	"	A. N. Pleschtschejew (nach Chr. F. Gellert)	"
	9	Весна (Уж тает снег, бегут ручви) Frühling (Schon schmilzt der Schnee)	"	A. N. Pleschtschejew	"
	10	Колыбельная песнь в бурю Wiegenlied im Sturm	"	A. N. Pleschtschejew	"
	11	Цветок Die Blume	"	A. N. Pleschtschejew (nach L. Ratisbonn)	"
	12	Зима Winter	"	A. N. Pleschtschejew	"
	13	Весенняя песня Frühlingslied	"	A. N. Pleschtschejew	"
	14	Осень Herbst	"	A. N. Pleschtschejew	"
	15	Ласточка Die Schwalbe	"	I. S. Ssurikow (nach T. Lenartowitsch)	"
	16	Детская песенка Kinderliedchen	Ende Dezember 1880	K. S. Akssakow	

Stimm-umfang	Tonart	Nr. der DA in der Konkor-danzliste	Widmung bzw. Anlaß	Erstveröffentlichung und Erscheinen in der GA	Aufbewahrungsort des Manuskriptes
				P. I. Jurgenson (1884) GA Bd. 45 (1940)	
d^1-e^2	a-moll	36, 67		„	ZMMK
dis^1-f^2	G-dur	54, 141		„	ZMMK
d^1-g^2	G-dur	93, 157		„	ZMMK TSCHM (Skizzen)
e^1-fis^2	G-dur	120, 160		„	ZMMK
d^1-e^2	e-moll	38		„	ZMMK TSCHM (Skizzen)
es^1-e^2	C-dur	6, 7, 134, 138		„	ZMMK
d^1-g^2	c-moll	148, 164		„	ZMMK
h-g^2	G-dur	5, 18, 69		„	ZMMK
e^1-f^2	F-dur	25, 119		„	ZMMK
e^1-f^2	f-moll	1, 16		„	ZMMK
e^1-f^2	F-dur	45, 109		„	ZMMK
d^1-e^2	D-dur	26, 55, 167		„	ZMMK
e^1-e^2	A-dur	46, 50		„	ZMMK
fis^1-e^2	fis-moll	24, 137, 163		„	ZMMK
dis^1-e^2	G-dur	47, 48		„	ZMMK
e^1-e^2	a-moll	74, 79, 121		P. I. Jurgenson (1881) GA Bd. 45 (1940)	unbekannt

opus	Nr.	Titel	Entstehungszeit	Textautor	Stimmlage
57		*Sechs Romanzen*			
	1	Скажи, о чем в тени ветвей… Sag mir, wovon im dunklen Grün . .	1884 (?)	W. A. Ssologub	hoch
	2	На нивы желтые… Auf gelbe Felder weit . . .	Ende September 1884	A. K. Tolstoi	mittel (Bariton)
	3	Не спрашивай… Frage nicht . . .	Ende September 1884	A. N. Strugowschtschikow (nach J. W. von Goethe)	mittel
	4	Усни! Schlaf ein!	19. November bis 1. Dezember 1884	D. S. Mereshkowski	mittel
	5	Смерть Der Tod	19. November bis 1. Dezember 1884	D. S. Mereshkowski	hoch
	6	Лишь ты один… Nur du allein . . .	19. November bis 1. Dezember 1884	A. N. Pleschtschejew (nach A. Christen)	tief
60		*Zwölf Romanzen*			
	1	Вчерашняя ночь… Die gestrige Nacht . . .	19. August bis 8. September 1886	A. S. Chomjakow	hoch
	2	Я тебе ничего не скажу… Nie werde ich dir sagen . . .	„	A. A. Fet	hoch
	3	О, если б знали вы… O wenn ihr wüßtet . . .	„	A. N. Pleschtschejew	hoch (Tenor)
	4	Соловей Die Nachtigall	„	A. S. Puschkin (nach Wuka Karadshitsch)	hoch
	5	Простые слова Einfache Worte	„	N. N. (= P. I. Tschaikowsky)	mittel
	6	Ночи безумные Trunkene Nächte	„	A. N. Apuchtin	hoch
	7	Песнь цыганки Lied der Zigeunerin	„	J. P. Polonski	hoch
	8	Прости! Lebewohl!	„	N. A. Nekrassow	hoch
	9	Ночь Nacht	„	J. P. Polonski	hoch
	10	За окном в тени мелькает … Hinter’m Fenster im Schatten . . .	„	J. P. Polonski	hoch
	11	Подвиг Heldentat	„	A. S. Chomjakow	mittel (Bariton)
	12	Нам звезды кроткие сияли… Uns leuchteten milde Sterne . . .	„	A. N. Pleschtschejew	mittel

Stimm-umfang	Tonart	Nr. der DA in der Konkordanzliste	Widmung bzw. Anlaß	Erstveröffentlichung und Erscheinen in der GA	Aufbewahrungsort des Manuskriptes
dis^1-a^2	E-dur	107, 112	F. P. Komissarshewski	P. I. Jurgenson (1885) GA Bd. 45 (1940)	unbekannt
d-ges^1	f-moll	11, 12	B. B. Korssow	"	ZMMK TSCHM (Skizzen)
a-g^2	d-moll	99, 100	E. K. Pawlowskaja	"	ZMMK
h-f^2	F-dur	118	W. W. Butakowa	"	ZMMK
d^1-g^2	F-dur	152	D. A. Ussatow	"	ZMMK
a-fis^2	G-dur	94	A. P. Krutikowa	"	ZMMK
es^1-as^2	As-dur	28	Maria Fjodorowna, Gemahlin Alexanders III.	P. I. Jurgenson (1886) GA Bd. 45 (1940)	ZMMK
e^1-fis^2	E-dur	91, 92, 139	"	"	ZMMK
es-as^1	Es-dur	110, 111	"	"	ZMMK
g^1-as^2	c-moll	84	"	"	ZMMK TSCHM (Skizzen)
d^1-f^2	F-dur	32	"	"	ZMMK
d^1-as^2	g-moll	103, 116, 124	"	"	unbekannt
d^1-f^2	e-moll	123, 166	"	"	unbekannt TSCHM (Skizzen)
c^1-a^2	F-dur	75	"	"	unbekannt
d^1-g^2	g-moll	2	"	"	ZMMK TSCHM (Skizzen)
d^1-a^2	F-dur	29, 34, 60, 126	"	"	ZMMK TSCHM (Skizzen)
c-g^1	g-moll	57, 58	"	"	ZMMK TSCHM (Skizzen)
c^1-ges^2	F-dur	135, 161	"	"	ZMMK

opus	Nr.	Titel	Entstehungszeit	Textautor	Stimmlage
63		*Sechs Romanzen*	November bis Anfang Dezember 1887	K. R. (=Großfürst Konstantin)	
	1	Я сначала тебя не любила… Anfangs lieb' ich dich nicht …	„	„	hoch
	2	Растворил я окно… Ich öffnete das Fenster …	„	„	mittel
	3	Я вам не нравлюсь… Ich gefiel Ihnen nicht …	„	„	mittel
	4	Первое свидание Erstes Wiedersehen	„	„	hoch
	5	Уж гасли в комнатах огни… Schon erloschen die Lichter …	„	„	hoch
	6	Серенада (о дитя,…) Serenade (O Kind, ich singe dir …)	„	„	hoch (Tenor)
65		*Six Mélodies* *Sechs Lieder (auf franz. Texte)*	beendet: 10. Oktober 1888	(russ. Adaption von A. Gortschakowa)	
	1	Sérénade (Серенада) *Où vas-tu, souffle d'aurore …*	„	Edouard Turquety	mittel
	2	Déception (Разочарование)	„	Paul Collin	tief
	3	Sérénade (Серенада) *J'aime dans le rayon …*	„	Paul Collin	mittel
	4	Qu' importe que l' hiver (Пускай зима…)	„	Paul Collin	mittel
	5	Les larmes (Слезы)	„	A. M. Blanchecotte	mittel
	6	Rondel (Чаровница) *Il se cache dans ta grâce …*	„	Paul Collin	mittel

Stimm-umfang	Tonart	Nr. der DA in der Konkor-danzliste	Widmung bzw. Anlaß	Erstveröffentlichung und Erscheinen in der GA	Aufbewahrungsort des Manuskriptes
			Großfürst Konstantin	P. I. Jurgenson (1888) GA Bd. 45 (1940)	
f^1-f^2	B-dur	88	"	"	ZMMK TSCHM (Skizzen)
d^1-f^2	F-dur	162	"	"	ZMMK TSCHM (Skizzen)
d^1-f^2	C-dur	44	"	"	ZMMK TSCHM (Skizzen)
es^1-g^2	Es-dur		"	"	ZMMK TSCHM (Skizzen)
e^1-fis^2	E-dur	70	"	"	ZMMK TSCHM (Skizzen)
d-a^1	G-dur		"	"	ZMMK
			Désirée Artôt	P. I. Jurgenson (1889) GA Bd. 45 (1940)	ZMMK TSCHM (Skizzen)
h-fis^2	D-dur	82, 129	"	"	"
a-e^2	e-moll	8, 40	"	"	"
d^1-f^2	B-dur	65, 130	"	"	"
c^1-f^2	F-dur	150	"	"	"
d^1-e^2	G-dur	31, 55	"	"	"
d^1-e^2	G-dur	43	"	"	"

opus	Nr.	Titel	Entstehungszeit	Textautor	Stimmlage
73		*Sechs Romanzen*	23. April bis 5. Mai 1893	D. M. Rathaus	hoch
	1	Мы сидели с тобой заснувшей реки... Wir saßen vereint am schlummernden Strom ...	„	„	„
	2	Ночь Nacht	„	„	„
	3	В эту лунную ночь... In dieser Mondnacht ...	„	„	„
	4	Закатилось солнце... Die Sonne ging unter ...	„	„	„
	5	Средь мрачных дней... In trüben Tagen ...	„	„	„
	6	Снова, как прежде, один... Wieder wie einstmals allein ...	„	„	„

Stimm-umfang	Tonart	Nr. der DA in der Konkor-danzliste	Widmung bzw. Anlaß	Erstveröffentlichung und Erscheinen in der GA	Aufbewahrungsort des Manuskriptes
			N. N. Figner	P. I. Jurgenson (1893) GA Bd. 45 (1940)	ZMMK TSCHM (Skizzen)
e^1-gis^2	E-dur		„	„	„
c^1-ges^2	f-moll		„	„	„
d^1-as^2	As-dur		„	„	„
e^1-a^2	E-dur		„	„	„
es^1-bes^2	As-dur		„	„	„
a^1-gis^2	a-moll		„	„	„

Ergänzungen

Bearbeitungen fremder Werke (s. S. 96)

Kinderlieder auf russische und ukrainische Melodien (Gesang und Klavier, 1872 und 1877)

Russische Adaptionen (s. S. 99)

A. G. Rubinstein: Persische Lieder op. 34 (1869)
M. I. Glinka: Drei italienische Romanzen (1877)
M. I. Glinka: Arie „Mi sento il cor trafiggere" (1877)

Geplante Werke (Skizzen/Fragmente erhalten)

Ein merkwürdiger Fall, 1880 (mittl. Stimme; P. W. Schumacher) –
   ausführliche Melodieskizze mit Harmonieangaben
Der Vampir, 1883 (mittl. Stimme; A. S. Puschkin) – *Melodieskizze*
Die Nacht, 1883 (mittl. Stimme; A. N. Pleschtschejew) – *Melodieskizze*
Zwei Romanzen, 1886/87 (Großfürst Konstantin):
   Um die Schönheit allein lieb mich nicht (hohe Stimme) – *Skizze*
   Ich habe dich in meinem Traum gesehn (hohe Stimme) – *Skizze*
Lied der triumphierenden Liebe, 1887 (K. A. v. Tawastschern) – *Melodieskizze*

Drei Romanzen nach Texten franz. Dichter, 1888
   Lamento (mittl. Stimme; Paul Collin) – *Skizzen*
   Mai (mittl. Stimme; Paul Collin) – *Skizzen*
   Elle est malade (mittl. Stimme; J. Reboul) – *Skizze*

SONSTIGE
VOKALWERKE

opus	Nr.	Titel	Entstehungszeit	Besetzung und Stimmumfang	Tonart	Textautor
–		Природа и любовь **Natur und Liebe**	Dezember 1870	2 Soprane, Alt, Frauenchor und Klavier	Ges-dur	P. I. Tschaikowsky
46		*Sechs Duette*	4. Juni bis 24. August 1880	Zwei Singstimmen und Klavier		
	1	Вечер **Abend**	„	Sopran (d^1-as^2) Mezzosopran (g-as^2)	As-dur	I. S. Ssurikow
	2	Щотландская баллада **Schottische Ballade**	„	Sopran (d^1-a^2) Bariton (es-f^1)	a-moll	A. K. Tolstoi
	3	Слезы **Tränen**	„	Sopran (c^1-as^2) Mezzosopran (a-f^2)	g-moll	F. I. Tjuttschew
	4	В огород, возл броду **In dem Garten neben der Furt**	„	Sopran (e^1-gis^2) Mezzosopran (gis-e^2)	A-dur	I. S. Ssurikow (nach T. G. Schewtschenko)
	5	Минула страсть **Die Leidenschaft flieht**	„	Sopran (d^1-as^2) Tenor (es-b^1)	f-moll	A. K. Tolstoi
	6	Рассвет **Morgendämmerung**	„	Sopran (e^1-a^2) Mezzosopran (gis-e^2)	E-dur	I. S. Ssurikow
–		Ромео и Джульетта **Romeo und Julia** (Szene mit Duett)	1881 (beendet und instrumentiert von S. I. Tanejew 30. Dezember 1893)	Sopran (es^1-b^2) Tenor (des-b^1) und Orchester	F-dur/ Des-dur	W. Shakespeare (russ. Adaption von A. L. Ssokolowski)
–		Ночь **Die Nacht** (nach dem Andantino aus der Klavierfantasie c-moll KV 475 von W. A. Mozart)	1. bis 3. März 1893	Sopran, Alt, Tenor, Bass und Klavier	B-dur	N. N. (= P. I. Tschaikowsky)

Nr. der DA in der Konkordanzliste	Widmung bzw. Anlaß	Ort und Datum der Uraufführung, musikalische Leitung	Erstveröffentlichung und Erscheinen in der GA	Aufbewahrungsort des Manuskriptes (Partitur bzw. Skizzen)
	B. O. Walseck	Moskau, Kleiner Saal der Russischen Adelsgesellschaft, 16. März 1871 (zuvor vermutlich in einem Konservatoriums-Konzert der Schülerinnen von B. O. Walseck)	P. I. Jurgenson (1894) GA Bd. 43 (1941)	unbekannt
	T. L. Dawydowa		P. I. Jurgenson (1881) GA Bd. 43 (1941)	ZMMK
22, 90	"		"	"
14, 156	"		"	"
136	"		"	"
62, 64	"		"	"
76, 87	"		"	"
17, 83, 113	"		"	"
	Aus der geplanten Oper „Romeo und Julia"		P. I. Jurgenson (1895) GA Bd. 62 (1948) Partitur und Klavierauszug	ZMMK TSCHM (Skizzen)
	E. A. Lawrowskaja	Moskau, Konservatorium 9. Oktober 1893	P. I. Jurgenson (1893) GA Bd. 43 (1941)	ZMMK

Ergänzungen

Bearbeitungen eigener Werke (s. S. 90ff)

Legende (Gesang und Orchester, 1884)
War ich nicht ein Gräslein im Felde (Gesang und Orchester, 1884)
Herrschet der Tag (Gesang und Orchester, 1888)
Morgendämmerung (2 Soli und Orchester, 1889)

Bearbeitungen fremder Werke (s. S. 94ff)

A. Stradella: Arie „O del mio dolce ardor" (Gesang und Orchester, 1870)
D. Cimarosa: Terzett aus „Il matrimonio segreto" (3 Soli und Orchester, 1870)
R. Schumann: Ballade vom Heideknaben (Deklamation und Orchester, 1874)
F. Liszt: Der König von Thule (Gesang und Orchester, 1874)
A. S. Dargomyshski: Die goldene Wolke schlief (3 Soli und Orchester, 1876)
„Gebet" nach dem Quartett B-dur von M. I. Glinka für 4 Singstimmen
(SATB) und Klavier (1877) - *Textierung (s. S. 99)*

Geplante Werke (Skizzen/Fragmente erhalten)

Kanonisches Lied „Strelotschek", 2stg. (1882) — *Skizzen*
Vokalquartett e-moll (1891/92) — *Skizzen*

WERKE FÜR ORCHESTER

opus	Titel	Entstehungszeit	Tonart
–	**Allegro vivo** (Studienarbeit für kl. Orchester)	1863/64	E-dur
–	**Andante ma non troppo/Allegro moderato** (Studienarbeit für kl. Orchester)	1863/64	A-dur
–	**Agitato/Allegro** (Studienarbeit für kl. Orchester)	1863/64	e-moll
op. posth. 76	Гроза **Das Gewitter** (Ouvertüre zum gleichnamigen Drama von A. N. Ostrowski)	1864	e-moll
–	Характерные танцы **Charaktertänze** (als „Tänze der Landmädchen" 1867 in den 2. Akt der Oper „Der Wojewode" aufgenommen)	Anfang 1865	
–	**Ouvertüre** c-moll	Sommer 1865 bis 19. Januar 1866	c-moll
–	**Ouvertüre** F-dur (1. Fassung für kl. Orchester)	Herbst 1865	F-dur
–	**Ouvertüre** F-dur (2. Fassung für gr. Orchester)	Februar 1866	F-dur
13	**Symphonie Nr. 1** Winterträume I Träume auf der Winterfahrt Allegro tranquillo (g-moll) II Nebelland Adagio cantabile, ma non tanto (Es-dur) III Scherzo; Allegro scherzando, giocoso (c-moll) IV Finale; Andante lugubre (g-moll) / Allegro maestoso (G-dur)	1. Fassung: März bis Dezember 1866 2. Fassung: 1874	g-moll
15	Торжественная увертюра на Датский гимн **Festouvertüre auf die dänische Hymne**	beendet: 12. November 1866	D-dur

Widmung bzw. Anlaß	Ort und Datum der Uraufführung, musikalische Leitung	Erstveröffentlichung und Erscheinen in der GA	Aufbewahrungsort des Manuskriptes (Partitur bzw. Skizzen)
	unbekannt	nicht veröffentlicht	TSCHM
	unbekannt	GA Bd. 58 (1967)	TSCHM
	unbekannt	GA Bd. 58 (1967)	TSCHM
	Petersburg, 24. Februar 1896, A. K. Glasunow	M. P. Belaieff (1896) GA Bd. 21 (1952)	TSCHM
	Pawlowsk bei Petersburg, 30. August 1865, Joh. Strauß (Sohn)	nicht veröffentlicht	unbekannt
Im Auftrag von N. G. Rubinstein als Ferienarbeit	Woronesh, 12. Oktober 1931, K. S. Ssaradshew	GA Bd. 21 (1952)	TSCHM
	Petersburg, 27. November 1865, P. I. Tschaikowsky	GA Bd. 21 (1952)	TSCHM
	Moskau, 4. März 1866, N. G. Rubinstein	GA Bd. 21 (1952)	ZMMK
N. G. Rubinstein	Moskau, 3. Februar 1868, N. G. Rubinstein (2. Fassung)	P. I. Jurgenson 1868 (1. Fassung) 1875 (2. Fassung) GA Bd. 15a (1957) 2. Fassung und Varianten der 1. Fassung	ZMMK (autorisierte Kopie) TSCHM (Skizzen)
Zur Vermählung Zar Alexanders III. mit der dänischen Prinzessin Dagmar	Moskau, 29. Januar 1867 N. G. Rubinstein	P. I. Jurgenson (1892) GA Bd. 22 (1960) *Klavierauszug (vierhändig): GA Bd. 50a (1965)	ZMMK

opus	Titel	Entstehungszeit	Tonart
op. posth. 77	Фатум **Fatum** (Symphonische Phantasie)	September bis Dezember 1868	c-moll
	Ромео и Джульетта **Romeo und Julia** (Phantasie-Ouvertüre nach W. Shakespeare)	1. Fassung: Oktober bis 18. November 1869 2. Fassung: Juli bis September 1870 3. Fassung: August 1880	h-moll/H-dur
17	**Symphonie Nr. 2** I Andante sostenuto/Allegro vivo/Andante sostenuto (c-moll) II Andantino marziale, quasi moderato (Es-dur) III Scherzo; Allegro molto vivace (c-moll) IV Finale; Moderato assai/Allegro vivo/Presto (C-dur)	1. Fassung: Juni bis November 1872 2. Fassung: Dezember 1879	c-moll
18	Буря **Der Sturm** (Phantasie nach W. Shakespeare)	7. August bis 10. Oktober 1873	f-moll
29	**Symphonie Nr. 3** I Introduzione e Allegro; Moderato assai (Tempo di marcia funebre) (d-moll)/Allegro brillante (D-dur) II Alla tedesca; Allegro moderato e semplice (B-dur) III Andante elegiaco (d-moll/D-dur) IV Scherzo; Allegro vivo (h-moll) V Finale; Allegro con fuoco (Tempo di Polacca) (D-dur)	5. Juni bis 1. August 1875	D-dur
31	Сербо-Русский марш **Slawischer Marsch** (auch Serbisch-Russischer Marsch)	beendet: 25. September 1876	b-moll
32	Франческа да Римини **Francesca da Rimini** (Phantasie nach dem V. Gesang des „Inferno" aus Dantes „Göttlicher Komödie")	Ende September bis 5. November 1876	e-moll
36	**Symphonie Nr. 4** I Andante sostenuto/Moderato con anima (in movimento di Valse) (f-moll) II Andantino in Modo di canzone (b-moll) III Scherzo. Pizzicato ostinato; Allegro (F-dur) IV Finale; Allegro con fuoco (F-dur)	Ende 1876 bis 26. Dezember 1877	f-moll

Widmung bzw. Anlaß	Ort und Datum der Uraufführung, musikalische Leitung	Erstveröffentlichung und Erscheinen in der GA	Aufbewahrungsort des Manuskriptes (Partitur bzw. Skizzen)
M. A. Balakirew	Moskau, 15. Februar 1869, N. G. Rubinstein	M. P. Belaieff (1896) GA Bd. 22 (1960)	Die Partitur wurde vom Autor vernichtet, nach dessen Tode aber rekonstruiert und als op. posth. 77 herausgegeben
M. A. Balakirew	1. Fassung: Moskau, 4. März 1870, N. G. Rubinstein 2. Fassung: Petersburg, 5. Februar 1872, E. F. Naprawnik 3. Fassung: Tiflis, 19. April 1886, M. M. Ippolitow-Iwanow	Bote & Bock, Berlin: 2. Fassung: 1871 3. Fassung: 1881 GA Bd. 23 (1950) 1. u. 3. Fassung und diverg. Teile der 2. Fassung	ZMMK (1. und Teile der 2. Fassung) unbekannt (3. Fassung)
Moskauer Abteilung der „Russischen Musikgesellschaft"	1. Fassung: Moskau, 26. Januar 1873, N. G. Rubinstein 2. Fassung: Petersburg, 31. Januar 1881, K. K. Sieke	W. W. Bessel (1881) 2. Fassung GA Bd. 15b (1954) 1. und 2. Fassung *Klavierauszug (vierhändig): GA Bd. 47 (1956) 1. Fassung	Die Partitur wurde vom Autor venichtet. ZMMK (Klavierauszug, vierhdg.)
W. W. Stassow	Moskau, 7. Dezember 1873, N. G. Rubinstein	P. I. Jurgenson (1877) GA Bd. 24 (1961)	ÖBL (Skizzen) ZMMK (autorisierte Kopie)
W. S. Schilowski	Moskau, 7. November 1875, N. G. Rubinstein	P. I. Jurgenson (1877) GA Bd. 16a (1949)	ZMMK
Auftrag der Musikgesellschaft für ein Konzert zugunsten der Verwundeten im Krieg gegen die Türken	Moskau, 5. November 1876, N. G. Rubinstein	P. I. Jurgenson (1880) GA Bd. 24 (1961) *Klavierauszug GA Bd. 50b (1965)	ZMMK
S. I. Tanejew	Moskau, 25. Februar 1877, N. G. Rubinstein	P. I. Jurgenson (1878) GA Bd. 24 (1961)	ZMMK
„Meinem besten Freund" (Frau N. F. von Meck)	Moskau, 10. Februar 1878, N. G. Rubinstein	P. I. Jurgenson (1880) GA Bd. 16b (1949)	ZMMK

opus	Titel	Entstehungszeit	Tonart
43	**Suite Nr. 1** I Introduzione e fuga; Andante sostenuto/ Moderato e con anima (d-moll) II Divertimento; Allegro moderato (B-dur) III Intermezzo; Andante semplice (d-moll) IV Marche miniature; Moderato con moto (A-dur) V Scherzo; Allegro con moto (B-dur) VI Gavotte; Allegro (D-dur)	15. August 1878 bis 14. April 1879	d-moll
45	Итальянское каприччио **Capriccio italien** (nach Volkslied-Themen)	Januar bis 12. Mai 1880	A-dur
49	**Ouverture solennelle „1812"**	Ende September bis 7. November 1880	Es-dur
–	**Feierlicher Krönungsmarsch**	5. bis 23. März 1883	D-dur

53	**Suite Nr. 2**
	(Suite caractéristique)
	I Jeu de sons; Andantino un poco rubato/
	   Allegro molto vivace (C-dur)
	II Valse; Moderato (A-dur)
	III Scherzo burlesque; Vivace con spirito (E-dur)
	IV Rêves d'enfant; Andante molto sost. (a-moll)
	V Danse baroque (im Stile Dargomyshskis);
	   Vivacissimo (C-dur)
		1. Juni bis 13, Oktober 1883	C-dur

55	**Suite Nr. 3** I Elégie; Andantino molto cantabile (G-dur) II Valse mélancolique; Allegro moderato (e-moll) III Scherzo; Presto (e-moll) IV Tema con variazioni (12); Andante con moto (G-dur)	April bis 19. Juli 1884	G-dur
58	Манфред **Manfred** (Symphonie in 4 Bildern nach Byron) I Lento lugubre* (h-moll) II Vivace con spirito (h-moll) III Andante con moto (G-dur) IV Allegro con fuoco* (h-moll)	April bis 22. September 1885	h-moll

* Wegen der häufig wechselnden Tempi hier nur Tempobezeichnung des Satzanfanges

Widmung bzw. Anlaß	Ort und Datum der Uraufführung, musikalische Leitung	Erstveröffentlichung und Erscheinen in der GA	Aufbewahrungsort des Manuskriptes (Partitur bzw. Skizzen)
N. F. von Meck	Moskau, 8. Dezember 1879, N. G. Rubinstein	P. I. Jurgenson (1879) GA Bd. 19a (1948) *Klavierauszug (vierhändig): GA Bd. 49 (1956)	ZMMK
K. J. Dawydow	Moskau, 6. Dezember 1880, N. G. Rubinstein	P. I. Jurgenson (1880) GA Bd. 25 (1961) *Klavierauszug (vierhändig): GA Bd. 50a (1965)	ZMMK TSCHM (einige Skizzen)
Einweihung der Erlöserkirche in Moskau (errichtet zur Erinnerung an die Niederlage Napoleons 1812)	Moskau, 8. August 1882, I. K. Altani	P. I. Jurgenson (1882) GA Bd. 25 (1961)	ZMMK
Krönung Alexanders III. zum Zaren	Moskau, 23. Mai 1883, S. I. Tanejew	P. I. Jurgenson (1883) GA Bd. 25 (1961) *Klavierauszug: GA Bd. 50b (1965)	Partitur unbekannt TSCHM (einige Skizzen)
P. W. Tschaikowskaja	Moskau, 4. Februar 1884, M. Erdmannsdörfer	P. I. Jurgenson (1884) GA Bd. 19b (1948) *Klavierauszug (vierhändig): GA Bd. 49 (1956)	ZMMK TSCHM (Skizzen)
M. Erdmannsdörfer	Petersburg, 12. Januar 1885, Hans von Bülow	P. I. Jurgenson (1885) GA Bd. 20 (1946) *Klavierauszug (vierhändig): GA Bd. 49 (1956)	ZMMK TSCHM (Skizzen)
M. A. Balakirew (Balakirew hatte Programm und Tonart der einzelnen Sätze vorgeschlagen)	Moskau, 11. März 1886, M. Erdmannsdörfer	P. I. Jurgenson (1886) GA Bd. 18 (1949) *Klavierauszug (vierhändig): GA Bd. 48 (1964)	ZMMK TSCHM (Skizzen)

opus	Titel	Entstehungszeit	Tonart
–	Правоведский марш Rechtsschulmarsch	27. Oktober bis 5. November 1885	D-dur
61	Моцартиана **Suite Nr. 4 – „Mozartiana"** I Gigue; Allegro (G-dur) II Menuet; Moderato (D-dur) III Preghiera; Andante non tanto (B-dur) IV Thema con variazioni (10); Allegro giusto (G-dur)	17. Juni bis 28. Juli 1887 Vorlagen: I. Kleine Gigue f. Klav. (KV 574); II. Menuett f. Klav. (KV 355/576b); III. Motette „Ave verum corpus" (KV 618, in der Klaviertranskription von Franz Liszt „In der Sixtinischen Kapelle); IV. Zehn Variationen f. Klavier über „Unser dummer Pöbel meint" aus Glucks Sing- spiel „Die Pilger von Mekka" (KV 455).	G-dur
64	Symphonie Nr. 5 I Andante/Allegro con anima (e-moll) II Andante cantabile con alcuna licenza (D-dur) III Valse; Allegro moderato (A-dur) IV Finale; Andante maestoso/Allegro vivace (E-dur)	Mai bis 14. August 1888	e-moll
67	Гамлет **Hamlet** (Phantasie-Ouvertüre nach Shakespeare)	Juni bis 7. Oktober 1888	f-moll
op. posth. 78	Воевода **Der Woiewode** (Symphonische Ballade nach A. Mizkewitsch und A. S. Puschkin)	September 1890 bis 22. September 1891	a-moll
71a	Сюита из балета „Щелкунчик" **Suite aus dem Ballett „Der Nußknacker"** (Nußknacker-Suite) I Miniatur-Ouvertüre (B-dur) II Charaktertänze: a) Marsch (G-dur) b) Tanz der Zuckerfee (e-moll) c) Russischer Tanz [Trepak] (G-dur) d) Arabischer Tanz (g-moll) e) Chinesischer Tanz (B-dur) f) Tanz der Rohrflöten (D-dur) III Blumenwalzer (D-dur)	Januar bis 8. Februar 1892	

Widmung bzw. Anlaß	Ort und Datum der Uraufführung, musikalische Leitung	Erstveröffentlichung und Erscheinen in der GA	Aufbewahrungsort des Manuskriptes (Partitur bzw. Skizzen)
	unbekannt	P. I. Jurgenson (1894) GA Bd. 26 (1961)	TSCHM
„Der Autor wünscht einen neuen Anstoß zur Aufführung dieser wenig bekannten kleinen Meisterwerke zu geben . . ." (Vorwort Tschaikowskys)	Moskau, 14. November 1887, P. I. Tschaikowsky	P. I. Jurgenson (1887) GA Bd. 20 (1946)	TSCHM ZMMK
Theodor Avé-Lallement	Petersburg, 5. November 1888, P. I. Tschaikowsky	P. I. Jurgenson (1888) GA Bd. 17a (1963)	ZMMK TSCHM (Skizzen)
Edward Grieg	Petersburg, 12. November 1888, P. I. Tschaikowsky	P. I. Jurgenson (1890) GA Bd. 26 (1961)	ZMMK TSCHM (Skizzen)
	Moskau, 6. November 1891, P. I. Tschaikowsky	M. P. Belaieff (1897) GA Bd. 26 (1961)	Partitur vom Komponisten vernichtet TSCHM (Skizzen)
	Petersburg, 7. März 1892, P. I. Tschaikowsky	P. I. Jurgenson (1892) noch nicht in der GA Krit. Ausgabe: Musgis, Moskau 1960 Gesamtes Ballett: GA Bde. 13a, b (1955) *Klavierauszug: GA Bd. 54 (1956)	TSCHM

opus	Titel	Entstehungszeit	Tonart
–	**Symphonie Es-dur** I Allegro brillante (Es-dur) II Andante (B-dur) III Scherzo (es-moll) IV Finale; Allegro maestoso (Es-dur)	10./22. Mai 1891 bis 26. Oktober 1892 Unvollendet, in den Skizzen abgeschlossen, nur Exposition und 1. Satz instrumentiert. 1955 Instrumentation von Bogatyrew beendet. Die Sätze I, II und IV wurden von Tschaikowsky zu einer Klavierkonzertfassung (siehe op. 75 und op. 79) umgearbeitet, der dritte Satz erschien als Klavierstück „Scherzo-Fantaisie" (op. 72 Nr. 10)	Es-dur
74	**Symphonie Nr. 6** (Pathétique) I Adagio/Allegro non troppo (h-moll) II Allegro con grazia (D-dur) III Allegro molto vivace (G-dur) IV Finale; Adagio lamentoso (h-moll)	4. Februar bis 19. August 1893	h-moll

Widmung bzw. Anlaß	Ort und Datum der Uraufführung, musikalische Leitung	Erstveröffentlichung und Erscheinen in der GA	Aufbewahrungsort des Manuskriptes (Partitur bzw. Skizzen)
	Moskau, 7. Februar 1951, M. N. Terian	Musgis, Moskau (1961) Redaktion: S. S. Bogatyrew	TSCMM (Fragmente, Skizzen; Partitur des ersten Satzes)
W. L. Dawydow	Petersburg, 16. Oktober 1893, P. I. Tschaikowsky	P. I. Jurgenson (1894) GA Bd. 17b (1963) *Klavierauszug (vierhändig): GA Bd. 48 (1964) Faksimiliedruck der autographen Partitur: Musgis, Moskau (1970) Redaktion und Kommentar: G. Pribegina	ZMMK TSCHM (Skizzen)

Ergänzungen

Orchestrierung fremder Werke (s. S. 94ff)

C. M. v. Weber: Menuetto capriccioso (1863)
L. v. Beethoven: 1. Satz der Sonate op. 13 Nr. 2 (1863/64)
R. Schumann: Adagio und Allegro brillante aus op. 13 (1863/64)
J. Gungl: Walzer „Le Retour" (1863/64)
A. I. Dubuque: Polka „Maria-Dagmar" (1866)
K. I. Krahl: Festlicher Marsch (1867)
J. Haydn: Gott erhalte Franz den Kaiser (1874)

Geplante Werke (Skizzen/Fragmente erhalten)

Dornröschen. Suite für Orchester (1889/90) – *Skizzen*

WERKE FÜR
SOLOINSTRUMENT
UND ORCHESTER

opus	Titel	Entstehungszeit	Tonart	Soloinstrument
–	**Konzertstück für 2 Flöten und Streichorchester** I Largo (Introduktion) II Allegro	1863/64	D-dur	2 Flöten
23	**Klavierkonzert Nr. 1** I Allegro non troppo e molto maestoso/Allegro con spirito (Des-dur/b-moll) II Andantino semplice (Des-dur) III Allegro con fuoco (b-moll/B-dur)	November 1874 bis 9. Februar 1875	b-moll	Klavier
26	**Sérénade mélancolique**	Januar bis 13. Februar 1875	b-moll	Violine
33	**Variationen über ein Rokoko-Thema (7)**	Dezember 1876 bis Januar 1877	A-dur	Violoncello
34	**Valse-Scherzo**	Anfang 1877	C-dur	Violine
35	**Violinkonzert** I Allegro moderato (D-dur) II Canzonetta; Andante (g-moll) III Finale; Allegro vivacissimo (D-dur)	5. bis 30. März 1878	D-dur	Violine
44	**Klavierkonzert Nr. 2** I Allegro brillante e molto vivace (G-dur) II Andante non troppo (D-dur) III Allegro con fuoco (G-dur)	1. Fassung: 10. Oktober 1879 bis 28. April 1880 2. Fassung: vor dem 20. August 1893	G-dur	Klavier
56	**Konzertphantasie** I Quasi Rondo; Andante mosso (G-dur) II Contrastes; Andante cantabile/ Molto vivace (g-moll/G-dur)	April bis 24. September 1884	G-dur	Klavier
62	**Pezzo capriccioso**	zwischen dem 8. und 30. August 1887	h-moll	Violoncello

Widmung bzw. Anlaß	Ort und Datum der Uraufführung, Solist	Erstveröffentlichung und Erscheinen in der GA	Aufbewahrungsort des Manuskriptes (Partitur bzw. Skizzen)
Studienarbeit	unbekannt	GA Bd. 58 (1967)	TSCHM (Skizzen)
Hans von Bülow	Boston (USA), 25. Oktober 1875, Hans von Bülow (Ltg.: Benjamin J. Lang) Petersburg, 1. November 1875, G. G. Kross (Ltg.: E. Naprawnik)	P. I. Jurgenson (1879) GA Bd. 28 (1955) Bearbeitung für 2 Klaviere GA Bd. 46a (1954)	ZMMK TSCHM (Skizzen)
Leopold S. Auer	Moskau, 16. Januar 1876, A. D. Brodski	P. I. Jurgenson (1879) GA Bd. 30a (1949) Bearb. für Violine und Klavier GA Bd. 55a (1946)	unbekannt
W. F. Fitzenhagen	Moskau, 18. November 1877, W. F. Fitzenhagen	P. I. Jurgenson (1889) GA Bd. 30b (1956) Bearb. für Violoncello u. Klav. GA Bd. 55b (1956)	ZMMK
I. I. Kotek	Paris, 21. September 1878, S. K. Barzewitsch Moskau, 1. Dezember 1879, S. K. Barzewitsch	P. I. Jurgenson (1895) GA Bd. 30a (1949) Bearb. für Violine u. Klavier GA Bd. 55a (1946)	unbekannt
Adolf D. Brodski (Das Werk wurde zuerst L. Auer gewidmet, der es wegen seiner Schwierigkeiten ablehnte.)	New York, 1879, L. Damrosch Wien, 4. Dezember 1881, A. D. Brodski (Ltg.: Hans Richter) Moskau, 8. August 1882, A. D. Brodski	P. I. Jurgenson (1888) GA Bd. 30a (1949) Bearb. für Violine u. Klavier GA Bd. 55a (1946)	ZMMK
N. G. Rubinstein	Moskau, 18. Mai 1882, S. I. Tanejew (Ltg.: N. G. Rubinstein)	P. I. Jurgenson: 1. Fassung: 1881 2. Fassung: 1897 GA Bd. 28 (1955) Bearbeitung für 2 Klaviere GA Bd. 46a (1954)	ZMMK
Sophie Menter	Moskau, 22. Februar 1885, S. I. Tanejew	P. I. Jurgenson (1893) GA Bd. 29 (1954) Bearbeitung für 2 Klaviere GA Bd. 46b (1954)	ZMMK TSCHM (Skizzen)
A. A. Brandukow	Moskau, 25. November 1889, A. A. Brandukow	P. I. Jurgenson (1888) GA Bd. 30b (1956) Bearb. für Violoncello u. Klav. GA Bd. 55b (1956)	ZMMK

opus	Titel	Entstehungszeit	Tonart	Soloinstrument
op. posth. 75	**Klavierkonzert Nr. 3** Allegro brillante	23. Juni bis 3. Oktober 1893 (Neufassung des 1. Satzes der Es-dur-Symphonie, 1892)	Es-dur	Klavier
op. posth. 79	**Andante und Finale** I Andante (B-dur) II Finale; Allegro maestoso (Es-dur)	nach dem 3. Oktober 1893 (Klavierkonzertfassung des 2. und 4. Satzes der Es-dur-Symphonie, 1892; die Instrumentation wurde 1894–96 von S. I. Tanejew beendet)	B-dur/Es-dur	Klavier

Widmung bzw. Anlaß	Ort und Datum der Uraufführung, Solist	Erstveröffentlichung und Erscheinen in der GA	Aufbewahrungsort des Manuskriptes (Partitur bzw. Skizzen)
Ludwig Diemer	Petersburg, 7. Januar 1895, S. I. Tanejew	P. I. Jurgenson (1894) GA Bd. 29 (1954) Bearbeitung für 2 Klaviere GA Bd. 46b (1954)	ZMMK TSCHM (Skizzen)
	Petersburg, 8. Februar 1896, S. I. Tanejew	M. P. Belaieff (1897) GA Bd. 62 (1948) (Partitur und Bearbeitung für 2 Klaviere)	unbekannt

Ergänzungen

Bearbeitungen eigener Werke (s. S. 90ff)
Nocturne (Violoncello und Orchester, 1888)
Andante cantabile (Violoncello und Orchester, 1888)

Bearbeitungen fremder Werke (s. S. 94ff)
L. v. Beethoven: Allegro aus der Sonate op. 47 (Violine und Orchester, 1863/64)
H. A. Laroche: Phantasie-Ouvertüre (Klavier und Orchester, 1888)
S. Menter: Ungarische Zigeunerweisen (Klavier und Orchester, 1892/93)

Geplante Werke (Skizzen/Fragmente erhalten)
Konzertstück für Flöte und Orchester (1883) – *Themen*

WERKE FÜR STREICHORCHESTER

opus	Titel	Entstehungszeit	Tonart
–	**Allegro ma non tanto** (Studienarbeit)	1863/64	G-dur
48	**Serenade** für Streichorchester I Pezzo in forma di Sonatina (C-dur) II Valse (G-dur) III Elegia (D-dur) IV Finale; Tema russo (C-dur)	9. September bis 23. Oktober 1880	C-dur
–	**Elegie zum Gedenken an I. W. Ssamarin** (Ein Dankesgruß)	3. bis 6. November 1884	G-dur

Widmung bzw. Anlaß	Ort und Datum der Uraufführung, musikalische Leitung	Erstveröffentlichung und Erscheinen in der GA	Aufbewahrungsort des Manuskriptes (Partitur bzw. Skizzen)
	unbekannt	GA Bd. 58 (1967)	TSCHM
K. K. Albrecht	Petersburg, 18. Oktober 1881, E. F. Naprawnik	P. I. Jurgenson (1881) GA Bd. 20 (1946) *Klavierauszug (vierhändig): GA Bd. 50b (1965)	ZMMK
I. W. Ssamarin (Schauspieler am Moskauer Theater)	Moskau, 16. Dezember 1884, I. K. Altani	P. I. Jurgenson (1890)	ZMMK

KAMMERMUSIK

opus	Titel	Entstehungszeit	Tonart	Besetzung
–	**Adagio**	1863/64	F-dur	Bläseroktett (2 Flöten, 2 Oboen, engl. Horn, 2 Klarinetten, Baßklarinette)
–	**Allegro**	1863/64	c-moll	Klavier und Streichquintett (2 Violinen, Viola, Violoncello, Kontrabaß)
–	**Adagio molto**	1863/64	Es-dur	Harfe und Streichquartett (2 Violinen, Viola, Violoncello)
–	**Andante ma non troppo**	1863/64	e-moll	Streichquintett (2 Violinen, Viola, Violoncello, Kontrabaß)
–	**Andante molto**	1863/64	G-dur	Streichquartett (2 Violinen, Viola, Violoncello)
–	**Allegro vivace**	1863/64	B-dur	Streichquartett (2 Violinen, Viola, Violoncello)
–	**Allegretto**	1863/64	E-dur	Streichquartett (2 Violinen, Viola, Violoncello)
–	**Adagio**	1863/64	C-dur	4 Hörner (in G, Es, E und C)
–	**Allegretto moderato**	1863/64	D-dur	Streichtrio (Violine, Viola, Violoncello)
–	**Quartett in einem Satz** Adagio misterioso/Allegro con moto/Adagio misterioso	15. August bis 30. Oktober 1865	B-dur	Streichquartett (2 Violinen, Viola, Violoncello)
11	**Quartett Nr. 1** I Moderato e semplice (D-dur) II Andante cantabile (B-dur) III Scherzo; Allegro non tanto e con fuoco (d-moll) IV Finale; Allegro giusto (D-dur)	Februar 1871	D-dur	Streichquartett (2 Violinen, Viola, Violoncello)
–	**Serenade** zum Namenstag von N. G. Rubinstein	beendet: 1. Dezember 1872	D-dur	Flöte, 2 Klarinetten, Horn, Fagott und Streichquartett (2 Violinen, Viola, V'cello)
22	**Quartett Nr. 2** I Adagio/Moderato assai (F-dur) II Scherzo; Allegro giusto (Des-dur) III Andante ma non tanto (f-moll) IV Finale; Allegro con moto (F-dur)	beendet: 18. Januar 1874	F-dur	Streichquartett (2 Violinen, Viola, Violoncello)

Widmung bzw. Anlaß	Ort und Datum der Uraufführung	Erstveröffentlichung und Erscheinen in der GA	Aufbewahrungsort des Manuskriptes (Partitur bzw. Skizzen)
Studienarbeit	unbekannt	GA Bd. 58 (1967)	TSCHM
"	unbekannt	GA Bd. 58 (1967)	TSCHM
"	unbekannt	GA Bd. 58 (1967)	TSCHM
"	unbekannt	GA Bd. 58 (1967)	TSCHM
"	unbekannt	GA Bd. 58 (1967)	TSCHM
"	unbekannt	GA Bd. 58 (1967)	TSCHM
"	unbekannt	GA Bd. 58 (1967)	TSCHM
"	unbekannt	GA Bd. 58 (1967)	TSCHM
"	unbekannt	GA Bd. 58 (1967)	TSCHM
"	Petersburg, 30. Oktober 1865 (von Mitgliedern des Konservatoriums)	Musgis (1940) GA Bd. 31 (1955)	TSCHM
S. A. Ratschinkski	Moskau, 16. März 1871	P. I. Jurgenson (1872) GA Bd. 31 (1955)	ZMMK TSCHM (Skizzen zum zweiten Satz)
N. G. Rubinstein	Moskau, 6. Dezember 1872, im Hause N. G. Rubinsteins	GA Bd. 24 (1961)	ZMMK
Großfürst Konstantin	Moskau, 10. März 1874, im Konservatorium (F. G. Laub, Grzimali, Gerber und W. F. Fitzenhagen)	P. I. Jurgenson (1876) GA Bd. 31 (1955)	ZMMK TSCHM (Skizzen)

opus	Titel	Entstehungszeit	Tonart	Besetzung

30	**Quartett Nr. 3**
	I Andante sostenuto /
	  Allegro moderato /
	  Andante sostenuto (es-moll)
	II Allegretto vivo e scherzando
	  (B-dur)
	III Andante funebre e doloroso, ma
	  con moto (es-moll)
	IV Finale; Allegro non troppo e
	  risoluto (Es-dur)
		Januar bis
		18. Februar 1876
			es-moll	Streichquartett (2 Violinen,
				Viola und Violoncello)

42	**Souvenir d'un lieu cher** I Méditation II Scherzo III Mélodie	11. März bis Mai 1878	d-moll c-moll Es-dur	Violine und Klavier

50	**Trio „A la mémoire d'un grand artiste"**
	I Pezzo elegiaco; Moderato assai/
	  Allegro giusto (a-moll)
	IIa Tema con variazioni (11);
	  Andante con moto (E-dur)
	IIb Variazione finale e Coda;
	  Allegro risoluto e con fuoco/
	  Andante con moto (A-dur/a-moll)
		Dezember 1881 bis
		28. Januar 1882
			a-moll	Klaviertrio
				(Violine, Violoncello, Klavier)

70	**Sextett „Souvenir de Florence"** I Allegro con spirito (d-moll) II Adagio cantabile e con moto (D-dur) III Allegretto moderato (a-moll) IV Allegro vivace (d-moll)	1. Fassung: 13. Juni bis 25. Juli 1890 2. Fassung: Dezember 1891 bis Januar 1892	d-moll	Streichsextett (2 Violinen, 2 Violen, 2 Violoncelli)

Widmung bzw. Anlaß	Ort und Datum der Uraufführung	Erstveröffentlichung und Erscheinen in der GA	Aufbewahrungsort des Manuskriptes (Partitur bzw. Skizzen)
Zum Gedenken an F. G. Laub	Moskau, 18. März 1876, im Hause N. G. Rubinsteins	P. I. Jurgenson (1876) GA Bd. 31 (1955)	ZMMK
Erinnerung an Brailow (das Gut der Frau von Meck, wo Tschaikowsky mehrmals zu Gast weilte)		P. I. Jurgenson (1879) GA Bd. 55a (1946)	unbekannt
Dem Andenken eines großen Künstlers (N. G. Rubinstein)	Moskau, 8. März 1882	P. I. Jurgenson (1882) GA Bd. 32a (1951)	ZMMK
Gesellschaft für Kammermusik in Petersburg	Petersburg, 24. November 1892	P. I. Jurgenson (1892) GA Bd. 32b (1952)	ZMMK TSCHM (Skizzen)

Ergänzungen

Bearbeitungen eigener Werke (s. S. 88ff)
Andante funèbre aus dem Streichquartett Nr. 3 (Violine und Klavier, 1877)
Humoresque (Violine und Klavier, 1877)
O sing' mir jenes Lied (Violine und Klavier, nach 1872)

Bearbeitungen von Werken für Soloinstrument und Orchester:
Sérénade mélancolique (Violine und Klavier, 1875)
Variationen über ein Rokoko-Thema (Violoncello und Klavier, 1877)
Violinkonzert (Violine und Klavier, 1878)
Pezzo capriccioso (Violoncello und Klavier, 1887)

KLAVIERMUSIK

opus	Nr.	Titel	Entstehungszeit	Tonart
–		**Anastasie-Valse**	August 1854	F-dur
–		**Klavierstück** über das Thema „An dem Flüßchen, bei der Brücke"	Herbst 1862	unbekannt
–		**Allegro**	1863/64 (?)	f-moll
–		**Thema mit Variationen** (9)	1863/65	a-moll
op. posth. 80		**Sonate** I Allegro con fuoco (cis-moll) II Andante (A-dur) III Scherzo; Allegro vivo (cis-moll) IV Allegro vivo (cis-moll)	1865	cis-moll
1		*Zwei Stücke*		
	1	Scherzo à la russe	1863/64	B-dur
	2	Impromptu	Anfang März 1867	es-moll
2		**Souvenir de Hapsal**	Juni bis Juli 1867	
	1	Ruines d'un château		e-moll
	2	Scherzo		F-dur
	3	Chant sans paroles		F-dur
4		**Valse-Caprice**	Oktober 1868	D-dur
5		**Romance**	November 1868	f-moll
–		**50 russische Volkslieder** (vierhändig)	1868/69	
7		**Valse-Scherzo**	Anfang Februar 1870	A-dur
8		**Capriccio**	Anfang Februar 1870	Ges-dur
9		*Trois morceaux*	vor dem 26. Oktober 1870	
	1	Rêverie		D-dur
	2	Polka de Salon		B-dur
	3	Mazurka de Salon		d-moll
10		*Deux morceaux*	Dezember 1871 oder Januar 1872	
	1	Nocturne		F-dur
	2	Humoresque		G-dur
19		*Six morceaux*	beendet: 27. Oktober 1873	
	1	Rêverie du soir		g-moll
	2	Scherzo humoristique		D-dur
	3	Feuillet d'Album		D-dur
	4	Nocturne		cis-moll
	5	Capriccioso		B-dur
	6	Thème original et Variations (13)		F-dur

Widmung bzw. Anlaß	Erstveröffentlichung und Erscheinen in der GA	Aufbewahrungsort des Manuskriptes
A. P. Petrowa	in der Zeitung "Der Tag" 21. Oktober 1913	unbekannt
H. A. Laroche	nicht verlegt	unbekannt
	GA Bd. 58 (1967) Takt 1-172	TSCHM (unvollständig)
	P. I. Jurgenson (1909); GA Bd. 51a (1945)	unbekannt TSCHM (Skizzen)
	P. I. Jurgenson (1900); GA Bd. 51a (1945)	unbekannt
N. G. Rubinstein	P. I. Jurgenson (1868); GA Bd. 51a (1945)	unbekannt
Erinnerung an eine Reise entlang der estnischen Küste, wo sich am Moon-Sund die Schloßruine von Hapsal erhebt	P. I. Jurgenson (1868); GA Bd. 51a (1945)	unbekannt
A. K. Door	P. I. Jurgenson (1868); GA Bd. 51b (1946)	ZMMK
Désirée Artôt	P. I. Jurgenson (1868); GA Bd. 51b (1946)	ZMMK
Auftrag von P. I. Jurgenson	GA Bd. 61 (1949)	unbekannt
A. I. Dawydowa	P. I. Jurgenson (1870); GA Bd. 51a (1945)	ZMMK
K. Klindtworth	P. I. Jurgenson (1870); GA Bd. 51b (1946)	ZMMK
	P. I. Jurgenson (1871); GA Bd. 51b (1946)	ZMMK
N. A. Muromzewa A. J. Zoograph A. I. Dubuque		
W. S. Schilowski	P. I. Jurgenson (1874/76); GA Bd. 51b (1946)	ZMMK
	P. I. Jurgenson (1874); GA Bd. 51b (1946)	ZMMK
N. D. Kondratjew W. Timanowa A. K. Awramowa M. W. Terminskaja E. L. Langer H. A. Laroche		(Skizzen: TSCHM) (Skizzen: TSCHM)

opus	Nr.	Titel	Entstehungszeit	Tonart
21		*Six morceaux composés sur un seul thème*	September bis 28. November 1873	
	1	Prélude		gis-moll
	2	Fugue à quatre voix		gis-moll
	3	Impromptu		cis-moll
	4	Marche funèbre		as-moll
	5	Mazurque		as-moll
	6	Scherzo		As-dur
37a		**Die Jahreszeiten.** Zwölf Charakterstücke (nach lyrischen Epigraphen) Verfasser:		
	1	Januar/„Am Kamin" (A. S. Puschkin)	Dezember 1875	A-dur
	2	Februar/„Karneval" (P. A. Wjasemski)	Dezember 1875	D-dur
	3	März/„Lied der Lerche" (A. N. Maikow)	Februar 1876	g-moll
	4	April/„Schneeglöckchen" (A. N. Maikow)	März 1876	B-dur
	5	Mai/„Helle Nächte" (A. A. Fet)	April 1876	G-dur
	6	Juni/„Barcarole" (A. N. Pleschtschejew)	April/Mai 1876	g-moll
	7	Juli/„Lied des Schnitters" (A. W. Kolzow)	April/Mai 1876	Es-dur
	8	August/„Erntelied" [Scherzo] (A. W. Kolzow)	April/Mai 1876	h-moll
	9	September/„Die Jagd" (A. S. Puschkin)	April/Mai 1876	G-dur
	10	Oktober/„Herbstlied" (A. K. Tolstoi)	April/Mai 1876	d-moll
	11	November/„Troikafahrt" (N. A. Nekrassow)	April/Mai 1876	E-dur
	12	Dez./„Weihnachten" [Walzer] (W. A. Shukowski)	April/Mai 1876	As-dur
–		**Trauermarsch** (auf Motive aus der Oper „Opritschnik") vierhändig	7. bis 16. März 1877	unbekannt
–		**Marsch „Freiwillige Flotte"** (auch Skobelew-Marsch)	24. April 1878	C-dur
37		**Grande Sonate** I Moderato e risoluto (G-dur) II Andante non troppo, quasi moderato (e-moll) III Scherzo. Allegro giocoso (G-dur) IV Finale. Allegro vivace (G-dur)	1. März bis 27. April 1878	G-dur
40		*12 Stücke mittlerer Schwierigkeit*	12. Februar bis 30. April 1878	
	1	Étude		G-dur
	2	Chanson triste		g-moll
	3	Marche funèbre		c-moll
	4	Mazurka		C-dur
	5	Mazurka		D-dur
	6	Chant sans paroles		a-moll
	7	Au village		a-moll/C-dur
	8	Valse		As-dur
	9	Valse (2. Redaktion)	(1. Redaktion: 4. Juli 1876)	fis-moll
	10	Danse Russe		a-moll
	11	Scherzo		d-moll
	12	Rêverie interrompue		As-dur

Widmung bzw. Anlaß	Erstveröffentlichung und Erscheinen in der GA	Aufbewahrungsort des Manuskriptes
A. G. Rubinstein	W. W. Bessel (1873); GA Bd. 51b (1946)	ZMMK TSCHM (Skizzen)
Im Auftrage des Verlegers N. M. Bernhard komponierte Tschaikowsky für jeden Monat ein Klavierstück zur Veröffentlichung in der Zeitschrift „Nouvelliste".	„Nouvelliste" Nr. 1–12 (1876) GA Bd. 52 (1948)	ZMMK (Nr. 4: unbekannt)
N. von Meck (Auftrag und Widmung)	nicht verlegt	unbekannt
Auf Bitten von P. I. Jurgenson	P. I. Jurgenson (1878) erschienen unter dem Pseudonym: P. Ssinopow	ZMMK
K. Klindtworth	P. I. Jurgenson (1879); GA Bd. 52 (1948)	ZMMK
M. I. Tschaikowsky	P. I. Jurgenson (1879); GA Bd. 52 (1948)	ZMMK (1. Redaktion: TSCHM)

opus	Nr.	Titel	Entstehungszeit	Tonart
39		*Kinderalbum, 24 leichte Stücke*	Mai 1878	
	1	Morgengebet		G-dur
	2	Wintermorgen		h-moll
	3	Mama		G-dur
	4	Pferdchenspiel		D-dur
	5	Marsch der Holzsoldaten		D-dur
	6	Die neue Puppe		B-dur
	7	Die kranke Puppe		g-moll
	8	Der Puppe Begräbnis		c-moll
	9	Walzer		Es-dur
	10	Polka		B-dur
	11	Mazurka		d-moll
	12	Russisches Lied		F-dur
	13	Mushik spielt Harmonika		B-dur
	14	Russischer Tanz (Kamarinskaja)		D-dur
	15	Italienisches Liedchen		D-dur
	16	Altes französisches Liedchen		g-moll
	17	Deutsches Liedchen		Es-dur
	18	Neapolitanisches Tanzlied		Es-dur
	19	Kindermärchen		C-dur
	20	Baba Jaga		e-moll
	21	Süße Träumerei		C-dur
	22	Lerchengesang		G-dur
	23	In der Kirche		e-moll
	24	Der Leierkastenmann		G-dur
51		*Six morceaux*	Ende August bis 10. September 1882	
	1	Valse de Salon		As-dur
	2	Polka peu dansante		h-moll
	3	Menuetto scherzoso		Es-dur
	4	Natha-Valse (2. Redaktion)	(1. Redaktion: 5. August 1878)	A-dur
	5	Romance		F-dur
	6	Valse sentimentale		f-moll
–		**Impromptu-Caprice**	18. September 1884	G-dur
59		**Doumka (Scène rustique russe)**	15. bis 21. Februar 1886	c-moll
–		**Valse-Scherzo**	Ende Juli oder erste Hälfte August 1889	A-dur
–		**Impromptu**	Zweite Hälfte September 1889	As-dur
–		**Aveu passionné**	1891 (?)	e-moll
–		**Impromptu** (Momento lirico)	1892/1893 (?) (beendet von S. I. Tanejew)	As-dur

Widmung bzw. Anlaß	Erstveröffentlichung und Erscheinen in der GA	Aufbewahrungsort des Manuskriptes
W. L. Dawydow	P. I. Jurgenson (1878); GA Bd. 52 (1948)	ZMMK
	P. I. Jurgenson (1882); GA Bd. 53 (1949)	ZMMK TSCHM (Skizzen)
M. S. Kondratjewa A. L. Dawydowa A. P. Merkling N. A. Plesskaja V. L. Rimskaja-Korssakowa E. N. Genton		(1. Redaktion: TSCHM)
S. I. Jurgenson	Paris, Musikalbum der Zeitung „Gaulois" (1885) P. I. Jurgenson (1886); GA Bd. 53 (1949)	unbekannt
A. F. Marmontel	P. I. Jurgenson (1886); GA Bd. 53 (1949)	ZMMK TSCHM (Skizzen)
	„Artist" 1889, Nr. 1/September P. I. Jurgenson (1894); GA Bd. 53 (1949)	unbekannt
A. G. Rubinstein	P. I. Jurgenson (1879); GA Bd. 53 (1949)	unbekannt
	GA Bd. 53 (1949)	Washington (USA) TSCHM (Fotokopie)
	P. I. Jurgenson (1894), Redaktion: S. I. Tanejew GA Bd. 62 (1948)	TSCHM (Skizzen)

opus	Nr.	Titel	Entstehungszeit	Tonart
–		**Militärmarsch** („Marsch für das Jurjewski-Regiment")	24. März bis 5. Mai 1893	B-dur
72		*Achtzehn Stücke*		
	1	Impromptu	5. bis 22. April 1893	f-moll
	2	Berceuse		As-dur
	3	Tendres reproches	21. April 1893	cis-moll
	4	Danse caractéristique	10. April 1893	D-dur
	5	Méditation	5. bis 22. April 1893	D-dur
	6	Mazurka pour danser	5. bis 22. April 1893	B-dur
	7	Polacca de concert	10. April 1893	Es-dur
	8	Dialogue	13. April 1893	H-dur
	9	Un poco di Schumann	5. bis 22. April 1893	Des-dur
	10	Scherzo-Fantaisie	12. April 1893	es-moll
	11	Valse-Bluette	12. April 1893	Es-dur
	12	L'espiègle	11. April 1893	E-dur
	13	Écho rustique	11. April 1893	Es-dur
	14	Chant élégiaque	17. April 1893	Des-dur
	15	Un poco di Chopin	17. April 1893	cis-moll
	16	Valse à cinq temps *[5/8-Takt]*	17. April 1893	D-dur
	17	Passé lointain	20. April 1893	Es-dur
	18	Scène dansante: Invitation au trépac	16. April 1893	C-dur
–		**Nicht der Wind die Zweige rüttelt** (Klaviersatz zu dem Volkslied)	Juli 1893	

Widmung bzw. Anlaß	Erstveröffentlichung und Erscheinen in der GA	Aufbewahrungsort des Manuskriptes
98. Infanterie-Regiment (befehligt von A. P. Tschaikowsky). Der Marsch wurde vom Kapellmeister des Regiments instrumentiert.	P. I. Jurgenson (1894); GA Bd. 53 (1949)	TSCHM
	P. I. Jurgenson (1893); GA Bd. 53 (1949)	ZMMK TSCHM (Skizzen)
W. I. Masslowa P. Moskalew A. A. Gehrke A. I. Galli W. I. Ssafonow L. Jurgenson P. A. Pabst C. Laroche A. I. Masslowa A. I. Siloti D. Kondratjewa A. P. Swetoslawskaja (Jurgenson) I. A. Brüllowa Zum Gedenken an Wolodja Sklifassowski S. M. Remesow N. K. Lenz N. S. Swerew W. L. Ssapelnikow		
Auf Bitten von K. M. Koninski	Faksimile des Autographs in „Russ. Musikzeitung" (1899; Nr. 1)	Museum des A. A. Bachruschin-Theaters

Ergänzungen

Bearbeitungen eigener Werke (s. S. 88ff)

Potpourri aus der Oper „Der Wojewode" (1868)
Wiegenlied (2 Fassungen, vor 1873)
O sing' mir jenes Lied (vor 1873)
Und wenn auch . . . (vor 1873)

Klavierauszüge von Bühnenwerken

zweihändig: Ballett „Der Nußknacker" (1892)
vierhändig: Entr'acte und Tänze der Landmädchen aus der Oper „Der Wojewode" (1868)
Trauermarsch aus der Oper „Der Opritschnik" (1877)

Klavierauszüge von Orchesterwerken

zweihändig:

Slawischer Marsch (1876)
Feierlicher Krönungsmarsch (1883)

vierhändig:

Symphonie Nr. 2 (1872)
Festouvertüre auf die dänische Hymne (1878)
Orchestersuite Nr. 1 (1878)
Capriccio italien (1880)
Serenade für Streichorchester (1880)
Orchestersuite Nr. 2 (1883)
Orchestersuite Nr. 3 (1884)
Manfred, Symphonie (1885)
Symphonie Nr. 6 (1893)

Zwei Klaviere:

Konzert Nr. 1 für Klavier und Orchester (1874)
Konzert Nr. 2 für Klavier und Orchester (1880)
Konzertphantasie für Klavier und Orchester (1884)
Konzert Nr. 3 für Klavier und Orchester (1893)

Bearbeitungen fremder Werke (s. S. 94ff)

zweihändig: A. S. Dargomyshski: Kasatschok (1867)
C. M. v. Weber: Perpetuum mobile (1871)

vierhändig: A. I. Dubuque: Liebeserinnerung (1866/67)
A. G. Rubinstein: Iwan der Schreckliche (1896)
A. G. Rubinstein: Don Quixote (1871)
50 russische Volkslieder (1868/69)

Geplante Werke (Skizzen/Fragmente erhalten)

Valse E-dur (1887) – *Skizze;* Etude Es-dur (1893) – *Skizzen;*
Deux moments musicaux G-dur/e-moll (1893) – *Skizzen;*
Nocturne H-dur (1893) – *Skizzen;* Polka de Salon (1893) – *Skizzen;*
Zwei Klavierstücke Es-dur/c-moll (Jahr unbekannt) – *Skizzen*

BEARBEITUNGEN

Bearbeitungen eigener Werke

opus	Angaben zur Originalvorlage		Tonart	Bearbeitung für
	Titel	Besetzung		
3	**Der Wojewode** (Oper) *(Der Heerführer)*	Soli, Chor und Orchester		a) Gesang und Klavier b) Klavier (Potpourri) c) Klavier vierhändig
17	**Symphonie Nr. 2**	Orchester	c-moll	Klavier vierhändig
–	**Kantate zum Gedächtnis des 200jährigen Geburtstages Zar Peter des Großen**	Soli, Chor und Orchester		Gesang und Klavier
16	Nr. 1 **Wiegenlied**	Gesang und Klavier	a) as-moll b) a-moll	Klavier (solo) Klavier (erleichterte Variante)
	Nr. 4 **O sing' mir jenes Lied**	Gesang und Klavier	G-dur	Klavier (solo)
	Nr. 5 **Und wenn auch . . .**	Gesang und Klavier	fis-moll/ A-dur	Klavier (solo)
23	**Konzert Nr. 1**	Klavier und Orchester	b-moll	Zwei Klaviere
–	**Der Opritschnik** (Oper) *(Der Leibwächter)*	Soli, Chor und Orchester		Gesang und Klavier
26	**Sérénade mélancolique**	Violine und Orchester	b-moll	Violine und Klavier
31	**Slawischer Marsch**	Orchester	b-moll	Klavier
–	**Trauermarsch** aus der Oper „Der Opritschnik"	Orchester		Klavier vierhändig
30	**Andante funèbre** aus dem Streichquartett Nr. 3	2 Violinen, Viola und Violoncello	es-moll	Violine und Klavier
10	Nr. 2 **Humoresque**	Klavier	G-dur	Violine und Klavier
33	**Variationen über ein Rokoko-Thema** (7)	Violoncello und Orchester	A-dur	Violoncello und Klavier
15	**Festouvertüre auf die dänische Hymne**	Orchester	D-dur	Klavier vierhändig
35	**Konzert**	Violine und Orchester	D-dur	Violine und Klavier
41	**Liturgie des hl. Joann Slatoust**	gem. Chor a cappella		Klavier

Entstehungszeit der Bearbeitung	allgemeine Bemerkungen	Erstveröffentlichung der Bearbeitung und Erscheinen in der GA	Aufbewahrungsort des Manuskriptes bzw. der Skizzen
1868		GA Ergänzungsband 1 (1953)	ZMMK (3. Akt)
1868	Herausgabe unter dem Pseudonym Kramer	P. I. Jurgenson (1868)	ZMMK
1868	nur: Entr'acte und Tänze der Landmädchen	P. I. Jurgenson (1868)	ZMMK
1872	Bearbeitung der 1. Fassung	GA Bd. 47 (1956)	ZMMK
1872		nicht verlegt	unbekannt
vor 1873 "	Auftrag von W. W. Bessel (?) "	W. W. Bessel (1873) "	unbekannt "
vor 1873	Auftrag von W. W. Bessel (?)	W. W. Bessel (1873)	unbekannt
vor 1873	Auftrag von W. W. Bessel (?)	W. W. Bessel (1873)	ZMMK
1874		P. I. Jurgenson (1875) GA Bd. 46a (1954)	ZMMK
1874		W. W. Bessel (1874) GA Bd. 34 (1959)	TSCHM (Entr'acte 3. Akt) ZMMK (Introduktion)
1875		P. I. Jurgenson (1876) GA Bd. 55a (1946)	unbekannt
1876		P. I. Jurgenson (1876) GA Bd. 50b (1965)	ZMMK
beendet: 16. 3. 1877		nicht verlegt	unbekannt
1877		P. I. Jurgenson (1877) GA Bd. 55a (1946)	unbekannt
1877		P. I. Jurgenson (1877) GA Bd. 55a (1946)	unbekannt
1877		P. I. Jurgenson (1878) GA Bd. 55b (1956)	unbekannt
1878		P. I. Jurgenson (1878)	ZMMK
1878 (?)		P. I. Jurgenson (1878 ?) GA Bd. 55a (1946)	unbekannt
1878	Partiturauszug zur Einstudierung	P. I. Jurgenson (1879)	ZMMK

opus	Angaben zur Originalvorlage		Tonart	Bearbeitung für
	Titel	Besetzung		
43	Suite Nr. 1	Orchester	d-moll	Klavier vierhändig
24	Eugen Onegin (Oper)	Soli, Chor und Orchester		Gesang und Klavier
44	Konzert Nr. 2	Klavier und Orchester	G-dur	Zwei Klaviere
45	Capriccio italien	Orchester	A-dur	Klavier vierhändig
48	Serenade	Streichorchester	C-dur	Klavier vierhändig
–	Feierlicher Krönungsmarsch	Orchester	D-dur	Klavier
53	Suite Nr. 2	Orchester	C-dur	Klavier vierhändig
–	Mazeppa (Oper)	Soli, Chor und Orchester		Gesang und Klavier
54	Nr. 5 Legende	Gesang und Klavier	f-moll	Gesang und Orchester
47	Nr. 7 War ich nicht ein Gräslein . . .	Gesang und Klavier	fis-moll	Gesang und Orchester
55	Suite Nr. 3	Orchester	G-dur	Klavier vierhändig
56	Konzertphantasie	Klavier und Orchester	G-dur	Zwei Klaviere
–	Moskau (Kantate)	Soli, Chor und Orchester		Gesang und Klavier
58	Manfred (Symphonie)	Orchester	h-moll	Klavier vierhändig
62	Pezzo capriccioso	Violoncello und Orchester	h-moll	Violoncello und Klavier
–	Die Zauberin (Oper)	Soli, Chor und Orchester		Gesang und Klavier
47	Nr. 6 Herrschet der Tag	Gesang und Klavier	E-dur	Gesang und Orchester
11	Andante cantabile (2. Satz aus dem Quartett Nr. 1)	2 Violinen, Viola und Violoncello	B-dur	Violoncello, Streichorchester

Entstehungszeit der Bearbeitung	allgemeine Bemerkungen	Erstveröffentlichung der Bearbeitung und Erscheinen in der GA	Aufbewahrungsort des Manuskriptes bzw. der Skizzen
1878		P. I. Jurgenson (1879) GA Bd. 49 (1956)	ZMMK
25.–28. 1. 1878		P. I. Jurgenson (1878) GA Bd. 36 (1946)	ZMMK
beendet: 20. 2. 1880		P. I. Jurgenson (1880) GA Bd. 46a (1954)	ZMMK
1880		P. I. Jurgenson (1880) GA Bd. 50a (1965)	ZMMK
beendet: 23. 10. 1880		P. I. Jurgenson (1881) GA Bd. 50b (1965)	ZMMK
1883		P. I. Jurgenson (1883) GA Bd. 50b (1965)	unbekannt
1883	nur: 2. bis 5. Satz	P. I. Jurgenson (1884) GA Bd. 49 (1956)	ZMMK
beendet: 1883		P. I. Jurgenson (1883) GA Bd. 38 (1968)	ZMMK (1. und 3. Akt)
beendet: 2. 4. 1884		P. I. Jurgenson (1892) GA Bd. 27 (1960)	ZMMK
15. 9. 1884	Uraufführung am 27. Dezember 1887, Petersbg., L. Auer; Solist: E. A. Lawrowski	nicht verlegt	ZLKM
1884	Max Erdmannsdörfer gewidmet	P. I. Jurgenson (1885) GA Bd. 49 (1956)	ZMMK
1884		P. I. Jurgenson (1884) GA Bd. 46b (1954)	ZMMK
vor 1885		P. I. Jurgenson (1885) GA Bd. 33 (1965)	unbekannt
1886		GA Bd. 48 (1964)	ZMMK
1887		P. I. Jurgenson (1888) GA Bd. 55b (1956)	ZMMK
beendet: Februar 1887		P. I. Jurgenson (1887) GA Bde. 40a, b (1949)	ZMMK
12. 2. 1888	Uraufführung am 16. Februar 1888, Paris Orchestre E. Colonne, P. I. Tschaikowsky Solistin: M. P. Benardaque	nicht verlegt	unbekannt
1888 (?)	Für A. A. Brandukow	nicht verlegt	TSCHM

opus	Angaben zur Originalvorlage		Tonart	Bearbeitung für
	Titel	Besetzung		
19	Nr. 4 **Nocturne**	Klavier	cis-moll	Violoncello und Orchester
46	Nr. 6 **Morgendämmerung** (Duett)	Gesang und Klavier	E-dur	Gesang und Orchester
54	Nr. 5 **Legende**	Gesang und Klavier	f-moll	gem. Chor a cappella
68	**Pique Dame** (Oper)	Soli, Chor und Orchester		a) Gesang und Klavier b) Gesang und Klavier (erleichterte Fassung)
69	**Jolanthe** (Oper)	Soli, Chor und Orchester		Gesang und Klavier
71	**Der Nußknacker** (Ballett)	Orchester		a) Suite für Orchester b) Klavier (leicht)
74	**Symphonie Nr. 6**	Orchester	h-moll	Klavier vierhändig
75	**Konzert Nr. 3**	Klavier und Orchester	Es-dur	Zwei Klaviere
16	Nr. 4 **O sing' mir jenes Lied**	Gesang und Klavier	G-dur	Violine und Klavier

Entstehungszeit der Bearbeitung	allgemeine Bemerkungen	Erstveröffentlichung der Bearbeitung und Erscheinen in der GA	Aufbewahrungsort des Manuskriptes bzw. der Skizzen
1888	Nach W. Fitzenhagens Bearbeitung für Violoncello und Klavier	GA Bd. 30b (1956)	TSCHM
1889	Für ein Hofkonzert im Palais Gattschina (Petersburg, 17. 2. 1889)	GA Bd. 27 (1960)	MBKL
Januar 1889		P. I. Jurgenson (1889) GA Bd. 43 (1941)	ZMMK
1890		P. I. Jurgenson (1890) GA Bd. 41 (1950) P. I. Jurgenson (1891)	ZMMK unbekannt
1892		P. I. Jurgenson (1892)	unbekannt
1892 August 1892	Instrumentation teilweise geändert	P. I. Jurgenson (1892) P. I. Jurgenson (1892) GA Bd. 54 (1956)	unbekannt ZMMK
1893	Mitarbeit von L. Konjus	P. I. Jurgenson (1893) GA Bd. 48 (1964)	unbekannt
1893		P. I. Jurgenson (1894) GA Bd. 46b (1954)	ZMMK
unbekannt		nicht verlegt	unbekannt

Bearbeitungen von Werken anderer Komponisten

Angaben zum Originalwerk		Entstehungszeit der Bearbeitung	Bearbeitung (für)
Komponist	Werk		
C. M. v. Weber	**Menuetto capriccioso** aus der Klaviersonate op. 39 Nr. 2	1863	Orchester (Schülerarbeit)
L. v. Beethoven	**Allegro** aus der Violinsonate op. 47	1863/64	Violine und Orchester
L. v. Beethoven	**1. Satz** aus der Klaviersonate op. 13 Nr. 2	1863/64	Orchester
R. Schumann	**Adagio und Allegro brillante** Nr. 11 und 12 aus den Symphonischen Etüden op. 13	1863/64	Orchester
J. Gungl	**Le Retour** (Walzer für Klavier)	1863/64	Orchester (unvollendet; nur Takte 1-56)
A. I. Dubuque	**Maria-Dagmar** (Polka für Klavier)	Herbst 1866	Orchester (Original z. T. erweitert und verändert)
A. I. Dubuque	**Liebeserinnerung** (Klavierstück nach einer Romanze von E. P. Tarnowskaja)	1866/67 (?)	Klavier (vierhändig)
A. S. Dargomyshski	**Kasatschok** (Orchesterfantasie)	1867 (?)	Klavier
K. I. Krahl	**Festlicher Marsch** (Klavier)	1867	Orchester
D. Auber	**Le domino noir** (Oper)	1868	Ergänzungen: Introduktion, zwei Chöre, Rezitative
—	**50 russische Volkslieder**	1868/69	Klavier (vierhändig)
A. G. Rubinstein	**Iwan der Schreckliche** (Symphonische Dichtung für Orchester)	1869	Klavier (vierhändig)
A. Stradella	**O del mio dolce ardor** (Aria)	1870	Gesang und Orchester
D. Cimarosa	**Terzett** aus der Oper: „Il matrimonio segreto"	1870 (?)	Orchesterfassung
C. M. v. Weber	**Rondo** (Finale) aus der Gr. Sonate Nr. 1 C-dur op. 24 (Perpetuum mobile)	1871	Verlegung der Hauptstimme von von der rechten in die linke Hand; Neufassung der begl. Oberstimme
A. G. Rubinstein	**Don Quixote** (Symphonische Dichtung für Orchester)	1871	Klavier (vierhändig)

Widmung bzw. Anlaß	Ort und Datum der ersten Aufführung, musikalische Leitung	Erstveröffentlichung und Erscheinen in der GA	Aufbewahrungsort des Manuskriptes (Partitur bzw. Skizzen)
Aufgabe des Petersburger Konservatoriums	unbekannt	GA Bd. 58 (1967)	TSCHM
Aufgabe des Petersburger Konservatoriums	unbekannt	GA Bd. 58 (1967)	TSCHM
Aufgabe des Petersburger Konservatoriums	unbekannt	nicht verlegt	unbekannt
Aufgabe des Petersburger Konservatoriums	unbekannt	GA Bd. 58 (1967)	TSCHM
Aufgabe des Petersburger Konservatoriums	unbekannt	GA Bd. 59 (1970)	TSCHM (Partitur Takt 1-56)
Aufgabe des Petersburger Konservatoriums	unbekannt	GA Bd. 59 (1970)	ZMMK
	unbekannt	P. I. Jurgenson (1868) GA Bd. 60 (1971)	ZMMK
	unbekannt	P. I. Jurgenson (1868) GA Bd. 60 (1971)	ZMMK
Auftrag von K. K. Hertz	Moskau, Universität, Mai 1867	unbekannt	unbekannt
Auftrag von E. Merelli für das Benefizkonzert D. Artôt	Moskau, 10. Januar 1870	GA Bd. 60 (1971)	unbekannt
Auftrag von P. I. Jurgenson		GA Bd. 61 (1949)	unbekannt
Auftrag von W. W. Bessel	unbekannt	W. W. Bessel (1869) GA Bd. 60 (1971)	unbekannt
Auftrag des Petersburger Konservatoriums	Moskau, 6. November 1870, N. G. Rubinstein Solistin: Kalaschowa	GA Bd. 59 (1970)	ZMMK
Auftrag von N. G. Rubinstein	Moskau, 29. Januar 1871, N. G. Rubinstein Solisten: D. Artôt, Irma-Murska, Trebelli	GA Bd. 59 (1970)	ZMMK
A. I. Zoograph. – Da sie den Part der re. Hand im Original nicht bewältigen konnte.	unbekannt	P. I. Jurgenson (1871) GA Bd. 60 (1971)	TSCHM (Manuskript-Fragment) ZMMK (autorisierte Kopie)
Auftrag von W. W. Bessel	unbekannt	W. W. Bessel (1871) GA Bd. 60 (1971)	unbekannt

Angaben zum Originalwerk		Entstehungszeit der Bearbeitung	Bearbeitung (für)
Komponist	Werk		
—	**Kinderlieder auf russische und ukrainische Melodien** (2 Hefte, hrsg. von M. A. Mamontowa)	Heft 1: 1872 Heft 2: 1877	Gesang und Klavier
J. Haydn	**Gott erhalte Franz den Kaiser** (Österreichische Hymne)	1874 (?)	Orchester
R. Schumann	**Ballade vom Heideknaben** op. 122 Nr. 1 (Deklamation und Klavier)	1874	Deklamation und Orchester
F. Liszt	**Der König von Thule** (Ballade für Gesang und Klavier)	Oktober 1874	Gesang und Orchester
—	**Gaudeamus igitur** (Studentenlied) russ. Adaption von N. W. Bugajew	1874	Männerchor mit Klavier
W. A. Mozart	**Le Nozze di Figaro** (Oper)	1875	russische Adaption des Librettos; Änderungen einiger Rezitative. (In dieser Fassung wird die Oper in der UdSSR noch heute gespielt).
A. S. Dargomyshski	**Die goldene Wolke schlief** (Terzett mit Klavier)	1876	Gesang (Terzett STB) und Orchester
M. Glinka	**Slawsja** (Chor aus der Oper „Iwan Ssussanin")	2. bis 4. Februar 1883	Unisono-Chor und Streichorchester
H. A. Laroche	**Phantasie-Ouvertüre** (für Klavier zu der nicht ausgeführten Oper „Karmosina")	August bis September 1888	Klavier und Orchester
S. Menter	**Ungarische Zigeunerweisen** (für Klavier)	1892/93	Klavier und Orchester

Ein Vorhaben P. I. Tschaikowskys, die vier Symphonien von R. Schumann 1870/71 umzuinstrumentieren, wurde nicht ausgeführt. (Aus einem Brief von I. A. Klimenko vom 25. März 1895)

Widmung bzw. Anlaß	Ort und Datum der ersten Aufführung, musikalische Leitung	Erstveröffentlichung und Erscheinen in der GA	Aufbewahrungsort des Manuskriptes (Partitur bzw. Skizzen)
Auf Bitten von M. A. Mamontowa	unbekannt	Heft 1: P. I. Jurgenson (1872) GA Bd. 61 (1949) beide Hefte	ZMMK (Heft 1) TSCHM (Heft 2)
Auftrag zum Besuch des österreichischen Kaisers in Moskau	unbekannt	GA Bd. 59 (1970)	ZMMK
	Moskau, 7. April 1874, N. G. Rubinstein Sprecher: I. W. Ssamarin	GA Bd. 59 (1970)	unbekannt
I. A. Melnikow	unbekannt	GA Bd. 59 (1970)	ÖBL
	unbekannt	P. I. Jurgenson (1874) (Chorpartitur unter dem Pseudonym: B. L.) Chorstimmen (1900) GA Bd. 60 (1971)	ZMMK (Partitur)
Für eine Aufführung durch Schüler des Moskauer Konservatoriums	Moskau, 5. Mai 1876	P. I. Jurgenson (1884) Klavierauszug GA Bd. 60 (1971) Rezitative	ZMMK (Texte und Rezitative)
	Petersburg, 26. Dezember 1876, E. F. Naprawnik Solisten: Klebek, F. I. Strawinsky, F. P. Komissarshewsky	GA Bd. 59 (1970)	TSCHM
Auftrag der Moskauer städt. Duma	Moskau, Roter Platz, 10. Mai 1883, (10640 Mitwirkende unter mehreren Dirig.)	P. I. Jurgenson (1883) Chorstimmen	TSCHM Thema und Textskizzen
	Petersburg, 5. November 1888, P. I. Tschaikowsky	GA Bd. 59 (1970)	TSCHM (Partitur) ZMMK (Manuskript Laroche)
	Odessa, 23. Januar 1893, P. I. Tschaikowsky; Petersburg, 29. Januar 1894, E. A. Kruschewsky Solistin: S. Menter	GA Bd. 59 (1970)	unbekannt

LITERARISCHE
UND REDAKTIONELLE
ARBEITEN

Russische Adaption von Vokalwerken anderer Komponisten

Giacomo Meyerbeer: Cavatine des Pagen aus der Oper „Les Huguenots" (Text von E. Scribe und E. Deschamps); Adaption 1868. Erstveröffentlichung unbekannt; Manuskript: ZMMK

Anton Grigorjewitsch Rubinstein: Persische Lieder op. 34 (12 Gesänge nach Gedichten von Friedrich Bodenstedt, die dieser 1851 unter dem Titel „Lieder des Mirza-Schaffy" herausgab). Nicht mit Engeln / Mein Herz schmückt sich / Seh' ich deine zarten Füßchen / Es hat sich die Rose beklagt / Die Weise guter Zecher / Ich fühle deinen Odem / Schlag' die Tschadra zurück / Neig', schöne Knospe / Gelb rollt mir zu Füßen / Die helle Sonne leuchtet / Tu' nicht so spröde / Gott hieß die Sonne glühen; Adaption 1869.
P. I. Jurgenson, 1870; Manuskript: ZMMK

Wolfgang Amadeus Mozart: La Nozze di Figaro. Gesamtes Libretto von Da Ponte nach Beaumarchais; Adaption 1875. (Die Oper wird noch heute in dieser Fassung in der Sowjetunion aufgeführt.)
P. I. Jurgenson, 1884; GA Bd. 60 (1971) (Rezitative); Manuskript: ZMMK (Rezitative)

Michail Iwanowitsch Glinka: Drei italienische Romanzen. Ho perduto il mio tesoro (Tenor u. Klavier) / Pur nel sonno / Mio ben ricordati (beide: Sopran u. Klavier); Adaption 1877.
P. I. Jurgenson, 1878; GA der Werke von M. Glinka, Bd. 10 (1962); Manuskript: ZMMK

Michail Iwanowitsch Glinka: Italienische Arie „Mi sento il cor trafiggere" (Tenor u. Klavier); Adaption 1877.
P. I. Jurgenson, 1878; GA der Werke von M. Glinka, Bd. 10 (1962); Manuskript: ZMMK

Textunterlegung bei Werken anderer Komponisten

Michail Iwanowitsch Glinka: „Quartett ohne Worte" für vier Singstimmen (SATB) und Klavier B-dur (1828). Eigene Textierung unter dem Titel Молитва (Gebet), 1877.
P. I. Jurgenson, 1878; Manuskript: ZMMK

Herausgabe von Werken anderer Komponisten

Dimitri Stepanowitsch Bortnjanski: Vollständige Ausgabe der geistlichen Chorwerke. Gliederung: 60 Kirchengesänge (3- und 4stg.); 35 Chorkonzerte (4stg.); 8 Terzette mit Chorbegleitung; Messe (3stg.); Hymnen, Gebete usw. (meist 4stg.). Redaktion und unterlegter Klavierpart (nur bei den konzertanten Chorwerken) 1881/82.
P. I. Jurgenson, 1881/83 (10 Hefte); Manuskripte der Chorwerke mit Redaktionsvermerken und Klavierbearbeitungen: ZMMK

Wassili Pawlowitsch Prokunin: 65 russische Volksweisen für Gesang und Klavier. Redaktion 1872.
P. I. Jurgenson, 1872 (Heft I), 1873 (Heft II); GA Bd. 61 (1949); Manuskriptkopie (Heft I) mit Redaktionsvermerken: ZMMK

Theoretische Werke und Schriften zur Musik

Musikkritische Aufsätze (Artikel, Rezensionen usw.)
Musgis, Moskau 1953 (GA Bd. II)

Leitfaden zum praktischen Erlernen der Harmonie (1871). Theoretisches Hauptwerk des Komponisten.
P. I. Jurgenson, 1872; GA Bd. IIIa (1957); Manuskript: ZMMK

Beethoven und seine Zeit (1873). Aufsatzreihe nach A. W. Thayers „Ludwig van Beethovens Leben" (Berlin 1866/72).
Zeitung „Graschdanin", Hefte Nr. 7, 8, 11, 12 (1873, die Folge bricht nach 17 Kapiteln ab); GA Bd. IIIb (1961)

Kurzes Handbuch der Harmonielehre zum Studium der russischen Kirchenmusik (1874).
P. I. Jurgenson, 1875; GA Bd. IIIa (1957); Manuskript: ZMMK

Zusammenstellung und Erläuterung musikalischer Fachausdrücke im „Wörterbuch der Russischen Sprache", Bde. II, III (1892). Auftrag der Herausgeber (Russ. Akademie der Wissenschaften).

Russische Übersetzung theoretischer Werke

François Auguste Gevaert: Traité général d'instrumentation (Gent 1863); Übersetzung 1865.
P. I. Jurgenson, 1866; GA Bd. IIIb (1961); Manuskript: ZMMK

Robert Schumann: Musikalische Haus- und Lebensregeln (Leipzig 1850); Übersetzung 1868. – P. I. Jurgenson, 1868 (deutsch-russ.); GA Bd. IIIb (1961); Manuskript: ZMMK

Robert Schumann: Anmerkungen zu den „Studien nach Capricen von Paganini op. 3" (Leipzig 1832); Übersetzung 1868 auf Wunsch N. G. Rubinsteins für die von ihm besorgte Gesamtausgabe der Klavierwerke R. Schumanns.
P. I. Jurgenson, 1869 (als Beilage gedruckt); GA Bd. IIIb (1961)

Johann Christian Lobe: Katechismus der Musik (Leipzig 1851); Übersetzung 1869. – P. I. Jurgenson, 1869; GA Bd. IIIb (1961)

Briefe von Pjotr Iljitsch Tschaikowsky

1848-1875	GA Bd. V	(1959)	1883-1884	GA Bd. XII	(1970)
1876-1877	GA Bd. VI	(1961)	1885-1886	GA Bd. XIII	(1971)
1878	GA Bd. VII	(1962)	1887-1888	GA Bd. XIV	(1972)
1879	GA Bd. VIII	(1963)	1889-1890	GA Bd. XV	(1973)
1880	GA Bd. IX	(1965)	1891-1892	GA Bd. XVI	
1881	GA Bd. X	(1966)	1893 und		
1882	GA Bd. XI	(1966)	Nachträge	GA Bd. XVII	

Tagebücher / Notizbücher

Tagebücher: 1873, 1884, 1886, 1887, 1888 „Tagebuch meiner Reise", 1889, 1890, 1891 (verbrannt: 1858, 1859, 1866; verloren: 1882, 1885)
GA Bd. IV (1973 noch nicht erschienen)

Notizbücher des Komponisten.
GA Bd. I (1973 noch nicht erschienen)

ANHANG

Zusammenfassung aller Werke nach ihrer Entstehungszeit

Entstehungszeit		Opus	Werk (Genre)	Besetzung	Seite
1854		–	Anastasie-Valse	Klavier	78
vor 1860		–	Mein Genius, mein Engel, mein Freund	Gesang, Klavier	28
1860/63		–	Mezza Notte	Gesang, Klavier	28
		–	Semphiras Lied	Gesang, Klavier	28
1862	Herbst	–	Klavierstück über „An dem Flüßchen"	Klavier	78
1863/64	Studienarbeiten	–	Allegro, f-moll (unvollendet)	Klavier	78
	ohne genaue	–	Thema mit Variationen, a-moll	Klavier	78
	Entstehungszeit	1	Nr. 1: Scherzo à la russe	Klavier	78
		–	Allegretto moderato, D-dur	Streichtrio	72
		–	Adagio, C-dur	Hornquartett	72
		–	Allegretto, E-dur	Streichquartett	72
		–	Allegro vivace, B-dur	Streichquartett	72
		–	Andante molto, G-dur	Streichquartett	72
		–	Adagio molto, Es-dur	Harfe, Streichquartett	72
		–	Andante ma non troppo, e-moll	Streichquintett	72
		–	Allegro, c-moll	Klavier, Streichquintett	72
		–	Adagio, F-dur	Bläseroktett	72
		–	Allegro ma non tanto, G-dur	Streichorchester	68
		–	Konzertstück (Largo/Allegro)	2 Flöten, Streichorch.	62
		–	Agitato/Allegro, e-moll	kleines Orchester	50
		–	Allegro vivo, E-dur	Orchester	50
		–	Andante ma non troppo/Allegro moderato	kleines Orchester	50
		–	Die Römer im Kolosseum	Orchester	18
		–	Auf den kommenden Schlaf	gem. Chor, Orchester	22
		–	Oratorium	Soli, Chor, Orchester	22
		–	Szenenmusik zu „Boris Godunow"	unbekannt	18
		–	*Beethoven: Allegro aus op. 47*	Violine, Orchester	94
		–	*Beethoven: 1. Satz aus op. 13 Nr. 2*	Orchester	94
		–	*Gungl: Walzer „Le Retour"*	Orchester	94
		–	*Schumann: Adagio/Allegro brillante (op. 13)*	Orchester	94
		–	*Weber: Menuetto capriccioso*	Orchester	94
1864		(76)	Das Gewitter (Ouvertüre)	Orchester	50
1865	Jahresanfang	–	Charaktertänze	Orchester	50
	Sommer-Januar 1866	–	Ouvertüre, c-moll	Orchester	50
	August-Oktober	–	Quartett in einem Satz	Streichquartett	72
	Herbst	–	Ouvertüre, F-dur (1. Red.)	kleines Orchester	50
	November-Dezember	–	An die Freude (Kantate)	Soli, Chor, Orchester	22
		(80)	Sonate, cis-moll	Klavier	78
		–	*L: Gevaert; Traité général d'instrumentation (A)*		99
1866	Februar	–	Ouvertüre, F-dur (2. Red.)	Orchester	50
	März-Dezember	13	Symphonie Nr. 1 (1. Red.)	Orchester	50
	November	15	Festouvertüre auf die dänische Hymne	Orchester	50
		–	*Dubuque: Maria-Dagmar*	Orchester	94
		–	*Dubuque: Liebeserinnerung*	Klavier (vierhändig)	94

→ Alle musikalischen und literarischen Bearbeitungen sind *kursiv* gesetzt
   L = Literarische Arbeit; A = Russische Adaption

Entstehungszeit		Opus	Werk (Genre)	Besetzung	Seite
1867	März	1	Nr. 2: Impromptu, es-moll	Klavier	78
	März-Juli 1868	3	Der Wojewode (Oper)	Soli, Chor, Orchester	8
	Juni-Juli	2	Souvenir de Hapsal (Drei Stücke)	Klavier	78
	Dezember	–	Couplets zu „Eine verwickelte Geschichte"	unbekannt	18
		–	Bühnenmusik zu „Der falsche Dmitri"	kleines Orchester	18
		–	*Krahl: Festlicher Marsch*	Orchester	94
1868	September-Dezember	(77)	Fatum (Phantasie)	Orchester	52
	Oktober	4	Valse-Caprice, D-dur	Klavier	78
	November	5	Romance	Klavier	78
		–	*Auber: Le domino noir (Ergänzungen)*	Soli, Chor, Orchester	94
		–	*Dargomyshski: Kasatschok*	Klavier	94
		3	*Der Wojewode (KA)*	Gesang, Klavier	88
		3	*Der Wojewode (otpourri)*	Klavier	88
		3	*Der Wojewode (Tänze)*	Klavier (vierhändig)	88
		–	*L: Schumann; Musikalische Haus- und Lebensregeln (A)*		99
1868/69		–	50 russische Volkslieder	Klavier (vierhändig)	78
1869	Januar-Juli	–	Undine (Oper)	Soli, Chor, Orchester	8
	Oktober-November	–	Romeo und Julia (Ouvertüre; 1. Red.)	Orchester	52
	November	6	Sechs Romanzen	Gesang, Klavier	28
		–	Chor der Blumen und Insekten aus der geplanten Oper „Mandragora"	Kinderchor, gem. Chor, Orchester	22
		–	*L: Lobe; Katechismus der Musik (A)*		99
		–	*Rubinstein: Iwan der Schreckliche*	Klavier (vierhändig)	94
		–	*L: Rubinstein; 12 Persische Lieder (A)*		99
1870	Februar (beendet April 1872)	–	Der Opritschnik (Oper)	Soli, Chor, Orchester	8
	Februar	7	Valse-Scherzo, A-dur	Klavier	78
	Februar	8	Capriccio, Ges-dur	Klavier	78
	Juli-September	–	Romeo und Julia (Ouvertüre; 2. Red.)	Orchester	52
	vor Oktober	–	So schnell vergessen . . . (Romanze)	Gesang, Klavier	28
	Oktober	9	Drei Stücke	Klavier	78
	Dezember	–	Natur und Liebe	Soli, Frauenchor, Klavier	46
		–	*Cimarosa: Terzett*	Soli, Orchester	94
		–	*Stradella: O del mio dolce ardor*	Gesang, Orchester	94
1871	Februar		Quartett Nr. 1	Streichquartett	72
	Dezember-Januar 1872		Zwei Stücke	Klavier	78
		–	L: Leitfaden z. prakt. Erlernen der Harmonie		99
		–	*Rubinstein: Don Quixote*	Klavier (vierhändig)	94
		–	*Weber: Perpetuum mobile*	Klavier	94
1872	Januar-Februar	–	Couplets zu „Le Barbier de Séville"	Tenor, zwei Violinen	18
	Februar-März	–	Kantate zum Gedächtnis Zar Peter d. Gr.	Tenor, gem. Chor, Orchester	22
	Juni-November	–	Symphonie Nr. 2 (1. Red.)	Orchester	52
	November	–	Serenade für N. G. Rubinstein	Kammerensemble	72
	Dezember	–	Sechs Romanzen	Gesang, Klavier	30
		–	*Herausgabe der Sammlung von W. P. Prokunin*		99
		–	*Kantate zum Gedächtnis Zar Peter d. Gr. (KA)*	Gesang, Klavier	88
		–	*Kinderlieder auf russische und ukrainische Melodien; Heft 1*	Gesang, Klavier	96
			Symphonie Nr. 2 (KA)	Klavier (vierhändig)	88

Entstehungszeit		Opus	Werk (Genre)	Besetzung	Seite
1873	März-April	12	Schauspielmusik zu „Schneeflöckchen"	Soli, Chor, kl. Orchester	18
	August-Oktober	18	Der Sturm (Phantasie)	Orchester	52
	September	–	Hinweg trage mein Herz (Romanze)	Gesang, Klavier	30
	September	–	Die blauen Frühlingsaugen (Romanze)	Gesang, Klavier	30
	September-November	21	Sechs Stücke über ein Thema	Klavier	80
	Oktober	19	Sechs Stücke	Klavier	78
		–	L: Beethoven und seine Zeit		99
		16	*Nr. 1: Wiegenlied*	Klavier	88
		16	*Nr. 4: O sing' mir jenes Lied*	Klavier/Violine, Klavier	88
		16	*Nr. 5: Und wenn auch . . .*	Klavier	88
1874	Januar	22	Quartett Nr. 2	Streichquartett	72
	Juni-Oktober	14	Schmied Wakula (Oper)	Soli, Chor, Orchester	8
	November-Februar 1875	23	Klavierkonzert Nr. 1	Klavier, Orchester	62
	Dezember	23	*Klavierkonzert Nr. 1 (KA)*	Zwei Klaviere	88
		13	Symphonie Nr. 1 (2. Red.)	Orchester	50
		–	*Der Opritschnik (KA)*	Gesang, Klavier	88
		–	*Haydn: Gott erhalte Franz den Kaiser*	Orchester	96
		–	*L: Kurzes Handbuch der Harmonielehre*		99
		–	*Liszt: Der König von Thule*	Gesang, Orchester	96
		–	*Schumann: Ballade von Heideknaben*	Deklamation, Orchester	96
		–	*Gaudeamus igitur*	Männerchor, Klavier	96
1875	Januar-Februar	26	Sérénade mélancolique	Violine, Orchester	62
	Februar-März	25	Sechs Romanzen	Gesang, Klavier	30
	April	27	Sechs Romanzen	Gesang, Klavier	32
	April	28	Sechs Romanzen	Gesang, Klavier	32
	April-Mai	–	Ich wollt, meine Schmerzen . . . (Romanze)	Gesang, Klavier	32
	April-Mai	–	Nicht lange mehr wandeln wir (Romanze)	Gesang, Klavier	32
	Juni-August	29	Symphonie Nr. 3	Orchester	52
	August-April 1876	20	Schwanensee (Ballett)	Orchester	14
	Dezember	–	Chor zum Jubiläum von O. A. Petrow	Tenor, gem. Chor, Orchester	22
	Dezember	37a	Jahreszeiten, Nr. 1 und 2	Klavier	80
		26	*Sérénade mélancolique (KA)*	Violine, Klavier	88
		–	*L: Mozart; Le Nozze di Figaro (A)*		96
1876	Januar-Februar	30	Quartett Nr. 3	Streichquartett	74
	Februar-Mai	37a	Jahreszeiten, Nr. 3–12	Klavier	80
	Juli	40	Nr. 9: Valse (1. Red.)	Klavier	80
	September	31	Slawischer Marsch	Orchester	52
	September-November	32	Francesca da Rimini (Phantasie)	Orchester	52
	Dezember-Januar 1877	33	Variationen über ein Rokoko-Thema	Violoncello, Orchester	62
	Jahresende-Dezember 1877	36	Symphonie Nr. 4	Orchester	52
		–	*Dargomyshski: Die goldene Wolke schlief*	Terzett, Orchester	96
		31	*Slawischer Marsch (KA)*	Klavier	88
1877	Jahresanfang	34	Valse-Scherzo	Violine, Orchester	62
	März	–	*Trauermarsch aus „Der Opritschnik"*	Klavier (vierhändig)	88
	Mai-Januar 1878	24	Eugen Onegin (Oper)	Soli, Chor, Orchester	8
		–	*Kinderlieder auf russische und ukrainische Melodien; Heft 2*	Gesang, Klavier	96
		30	*Andante funèbre*	Violine, Klavier	88
		–	*L: Glinka; 3 ital. Romanzen/Arie (A) und Text zum „Quartett ohne Worte"*		99
		10	*Nr. 2: Humoresque*	Violine, Klavier	88
		33	*Variationen über ein Rokoko-Thema (KA)*	Violoncello, Klavier	88

Entstehungszeit		Opus	Werk (Genre)	Besetzung	Seite
1878	Februar-Juli	38	Sechs Romanzen	Gesang, Klavier	34
	Februar-April	40	Zwölf Stücke mittlerer Schwierigkeit	Klavier	80
	März-April	37	Grande Sonate	Klavier	80
	März	35	Violinkonzert	Violine, Orchester	62
	März-Mai	42	Souvenir d'un lieu cher	Violine, Klavier	74
	April	–	Marsch „Freiwillige Flotte"	Klavier	80
	Mai	39	Kinderalbum (24 leichte Stücke)	Klavier	82
	Mai	41	Liturgie des hl. Joann Slatoust	gem. Chor a cappella	22
	August	51	Nr. 4: Natha-Valse (1. Red.)	Klavier	82
	August-April 1879	43	Suite Nr. 1	Orchester	54
	Dezember-August 1879	–	Die Jungfrau von Orléans (Oper)	Soli, Chor, Orchester	8
		24	*Eugen Onegin (KA)*	Gesang, Klavier	88
		15	*Festouvertüre auf die dänische Hymne (KA)*	Klavier (vierhändig)	88
		41	*Liturgie des hl. Joann Slatoust (KA)*	Klavier	88
		43	*Suite Nr. 1 (KA)*	Klavier (vierhändig)	90
		35	*Violinkonzert (KA)*	Violine, Klavier	88
1879	Juli	–	Schauspielmusik zu „La Fée"	unbekannt	18
	Oktober-April 1880	44	Klavierkonzert Nr. 2 (1. Red.)	Klavier, Orchester	62
	Dezember	17	Symphonie Nr. 2 (2. Red.)	Orchester	52
1880	Januar	–	Szenenmusik zu „Montenegro"	kleines Orchester	18
	Januar-Mai	45	Capriccio italien	Orchester	54
	Juni-August	46	Sechs Duette	Gesang, Klavier	46
	Juli-August	47	Sieben Romanzen	Gesang, Klavier	34
	August	–	Romeo und Julia (Ouvertüre; 3. Red.)	Orchester	52
	August-September	–	Kantate	Frauenchor a cappella	22
	September-Oktober	48	Serenade	Streichorchester	68
	September-November	49	Ouverture solennelle „1812"	Orchester	54
	Dezember	54	Nr. 16: Kinderliedchen	Gesang, Klavier	36
		45	*Capriccio italien (KA)*	Klavier (vierhändig)	90
		44	*Klavierkonzert Nr. 2 (KA)*	Zwei Klaviere	90
		48	*Serenade (KA)*	Klavier (vierhändig)	90
1881	Mai-März 1882	52	Nachtvesper	gem. Chor a cappella	22
	Juni (beendet April 1883)	–	Mazeppa (Oper)	Soli, Chor, Orchester	8
	Herbst	–	Der Abend	3-stg. Männerchor a cappella	22
	Dezember-Januar 1882	50	Trio	Violine, Violoncello, Klavier	74
		–	Romeo und Julia (Szene mit Duett)	Soli, Orchester	46
1881/82		–	*Herausgabe der geistlichen Chorwerke von D. St. Bortnjanski*		99
1882	August-September	51	Sechs Stücke	Klavier	82
1883	März	–	Moskau (Kantate)	Soli, Chor, Orchester	22
	März	–	Feierlicher Krönungsmarsch	Orchester	54
	Juni-Oktober	53	Suite Nr. 2	Orchester	54
	Oktober-November	54	Sechzehn Kinderlieder (Nr. 1–15)	Gesang, Klavier	36
		–	*Feierlicher Krönungsmarsch (KA)*	Klavier	90
		–	*Glinka: Slawsja*	Unisono-Chor, Streichorch.	96
		–	*Mazeppa (KA)*	Gesang, Klavier	90
		–	*Suite Nr. 2 (KA)*	Klavier (vierhändig)	90

Entstehungszeit		Opus	Werk (Genre)	Besetzung	Seite
1884	April-Juli	55	Suite Nr. 3	Orchester	54
	April-September	56	Konzertphantasie	Klavier, Orchester	62
	September	–	Impromptu-Caprice, G-dur	Klavier	82
	September-Dezember	57	Sechs Romanzen	Gesang, Klavier	38
	November	–	Elegie zum Gedenken an I. W. Ssamarin	Streichorchester	68
	November	–	Liturgische Chöre Nr. 1–3	gem. Chor a cappella	24
		56	*Konzertphantasie (KA)*	Zwei Klaviere	90
		54	*Nr. 5: Legende*	Gesang, Orchester	90
		55	*Suite Nr. 3 (KA)*	Klavier (vierhändig)	90
		47	*Nr. 7: War ich nicht ein Gräslein*	Gesang, Orchester	90
1885	Februar-März	–	Pantöffelchen (Oper; 2. Red. von „Schmied Wakula")	Soli, Chor, Orchester	10
	März	–	Hymne für Cyrill und Methodius	gem. Chor a cappella	24
	April-August	–	Liturgische Chöre Nr. 4–9	gem. Chor a cappella	24
	April-September	58	Manfred (Symphonie)	Orchester	54
	Sept. (beendet Mai 1887)	–	Die Zauberin (Oper)	Soli, Chor, Orchester	10
	September	–	Chorlied der Rechtsschule	gem. Chor a cappella	24
	Oktober-November	–	Rechtsschulmarsch	Orchester	56
		58	*Manfred (KA)*	Klavier (vierhändig)	90
		–	*Moskau (Kantate; KA)*	Gesang, Klavier	90
1886	Januar	–	Szenenmusik zu „Der Wojewode"	Holzbl., Harfe, Streicher	18
	Februar	59	Doumka (Scène rustique russe)	Klavier	82
	August-September	60	Zwölf Romanzen	Gesang, Klavier	38
1887	Februar	–	Der Engel jauchzt	gem. Chor a cappella	24
	Juni-Juli	61	Mozartiana (Suite Nr. 4)	Orchester	56
	Juli	–	Die goldene Wolke schlief	gem. Chor a cappella	24
	August	62	Pezzo capriccioso	Violoncello, Orchester	62
	November-Dezember	63	Sechs Romanzen	Gesang, Klavier	40
	Dezember	–	Glückselig ist, wer lächelt	Männerchor a cappella	24
		–	*Die Zauberin (KA)*	Gesang, Klavier	90
		62	*Pezzo capriccioso (KA)*	Violoncello, Klavier	90
1888	Mai-August	64	Symphonie Nr. 5	Orchester	56
	Juni-Oktober	67	Hamlet (Phantasie-Ouvertüre)	Orchester	56
	Oktober-August 1889	66	Dornröschen (Ballett)	Orchester	14
	Oktober	65	Sechs Lieder auf französische Texte	Gesang, Klavier	40
		11	*Andante cantabile*	Violoncello, Streichorch.	90
		47	*Nr. 6: Herrschet der Tag . . .*	Gesang, Orchester	90
		–	*Laroche: Phantasie–Ouvertüre*	Klavier, Orchester	96
		19	*Nr. 4: Nocturne*	Violoncello, Orchester	92
1889	Januar	–	Die Nachtigall	gem. Chor a cappella	24
	Juli-August	–	Valse-Scherzo, A-dur	Klavier	82
	September	–	Gruß an A. G. Rubinstein	gem. Chor a cappella	24
	September	–	Impromptu, As-dur	Klavier	82
		54	*Nr. 5: Legende*	gem. Chor a cappella	92
		46	*Nr. 6: Morgendämmerung (Duett)*	Gesang, Orchester	92
1890	Januar-Juni	68	Pique Dame (Oper)	Soli, Chor, Orchester	10
	Juni-Juli	70	Sextett (Souvenir de Florence; 1. Red.)	Streichsextett	74
	September-September 1891	(78)	Der Wojewode (Symph. Ballade)	Orchester	56
		68	*Pique Dame (KA, zwei Fassungen)*	Gesang, Klavier	92

Entstehungszeit		Opus	Werk (Genre)	Besetzung	Seite
1891	Januar	67a	Schauspielmusik zu „Hamlet"	Soli, kl. Orchester	18
	Februar-März 1892	71	Der Nußknacker (Ballett)	Orchester	14
	Februar	–	Nicht der Kuckuck . . .	gem. Chor a cappella	24
	Februar	–	Warum der Freuden Stimme wehren . . .	Männerchor a cappella	24
	Februar	–	Ohne Zeit . . .	Frauenchor a cappella	24
	Mai-Oktober 1892	–	Symphonie, Es-dur (unvollendet)	Orchester	58
	Juli-Dezember	69	Jolanthe (Oper)	Soli, Chor, Orchester	10
	Dezember-Januar 1892	70	Sextett (Souvenir de Florence; 2. Red.)	Streichsextett	74
		–	Aveu passionné	Klavier	82
1892	Januar-Februar	71a	Nußknacker-Suite	Orchester	56
		–	Impromptu (Momento lirico)	Klavier	82
		–	*L: Bearbeitung musikalischer Fachausdrücke für „Lexikon der russischen Sprache"*		99
		69	*Jolanthe (KA)*	Gesang, Klavier	92
		–	*Menter: Ungarische Zigeunerweisen*	Klavier, Orchester	96
		71	*Der Nußknacker (KA)*	Klavier	92
1893	Februar-August	74	Symphonie Nr. 6 „Pathétique"	Orchester	58
	März	–	Die Nacht	Soli, Klavier	46
	März-Mai	–	Militärmarsch	Klavier	84
	April	72	Achtzehn Stücke	Klavier	84
	April-Mai	73	Sechs Romanzen	Gesang, Klavier	42
	Juni-Oktober	(75)	Klavierkonzert Nr. 3	Klavier, Orchester	64
	Juli	–	Harmonisierung: Nicht der Wind . . .	Klavier	84
	August	44	Klavierkonzert Nr. 2 (2. Red.)	Klavier, Orchester	62
	Oktober	(79)	Andante und Finale	Klavier, Orchester	64
		(75)	*Klavierkonzert Nr. 3 (KA)*	Zwei Klaviere	92
		74	*Symphonie Nr. 6 (KA)*	Klavier (vierhändig)	92

ZUSAMMENFASSUNG DER WERKE MIT OPUS-ZAHLEN

Deutsche Liedadaptionen
Konkordanzliste der Liedanfänge und (Titel)

Verzeichnis der Adaptoren (mit Verlagsangaben)

Arnold, Y. v.: 14, 17, 22, 49, 62, 64, 76, 83, 87, 90, 113, 114, 136, 154, 156 (Jurgenson/Rather)

Bernhard, A.: 8, 31, 40, 43, 65, 82, 130, 150, 155 (Rather)

Gumbert, Ferd.: 4, 20, 39, 41, 52, 59, 66, 71, 73, 81, 95, 96, 102, 105, 115, 128, 131, 140, 142, 146, 147, 149, 151, 153, 158, 159 (Oertel)

Pattenhausen, Hellmuth: 61, 68, 77, 145, 165, (Musika, Moskau); 1, 7, 24, 26, 36, 45, 47, 50, 55, 69, 79, 119, 120, 137, 138, 141, 157, 164 (Rather); 2, 11, 28, 32, 57, 58, 60, 75, 84, 92, 94, 99, 110, 112, 118, 123, 124, 152, 161, 166, (Sikorski, i. Vorb.)

Schmidt, Hans: 9, 21, 30, 37, 42, 56, 72, 86, 89, 96, 98, 106, 127, 132 (Forberg); 5, 6, 12, 16, 18, 25, 27, 29, 34, 35, 44, 46, 48, 51, 54, 56, 67, 70, 74, 88, 91, 93, 98, 100, 101, 103, 106, 107, 109, 111, 116, 121, 126, 133, 134, 135, 139, 143, 148, 160, 162, 163, 167 (Jurgenson/Rather); 23, 42, 89, 96, 127, 143, 144, 147 (Schirmer)

Tutenberg, Bruno: 15, 33, 51, 53, 78, 80, 108, 117, 122, 125, 131, 149 (Peters)

Wolf, H.: 3, 10, 13, 19, 63, 97, 104 (Jurgenson)

Deutsche Adaptionen von Opern (DE = Deutsche Erstaufführung)

Opritschnik (Der Leibtrabant)	DA: unbekannt (Bessel 1896)	
Eugen Onegin	DA: A. Bernhard und B. Winckler (Jurgenson 1880)	DE: Hamburg 1892
Eugen Onegin	DA: A. Bernhard und Max Kalbeck (Rather 1920)	
Eugen Onegin	DA: Karlheinz Gutheim (Rather 1947)	DE: München 1947
Eugen Onegin	DA: Wolf Ebermann u. Manfred Koerth (DVfM 1969)	DE: Rostock 1970
Die Jungfrau von Orléans	DA: unbekannt (Jurgenson 1899)	
Die Jungfrau von Orléans	DA: L. v. Westernhagen u. R. Thomas (Rather 1965)	DE: Saarbrücken 1967
Mazeppa	DA: Alfred Simon (Rather 1931)	DE: Wiesbaden 1931
Pantöffelchen (Oxanas Launen)	DA: unbekannt (Jurgenson 1901)	
Pantöffelchen (Die goldenen Schuhe)	DA: Heinrich Burkard (UE 1930)	DE: Mannheim 1932
Pantöffelchen	DA: Georg Wambach (Henschel 1962)	DE: Zittau 1962
Die Zauberin (Die Bezaubernde)	DA: A. Hubert (Jurgenson 1887)	
Die Zauberin	DA: Julius Kapp (UE 1940)	DE: Berlin 1940, Duisburg 1940
Die Zauberin	DA: Dorothea u. Peter Gülke (DVfM 1963)	DE: Rudolstadt 1963
Pique Dame	DA: August Bernhard (Jurgenson 1890)	DE: Berlin 1908
Pique Dame	DA: A. Bernhard und Max Kalbeck (Rather 1920)	
Pique Dame	DA: Rudolf Lauckner (Rather 1924)	
Pique Dame	DA: Wolf Ebermann u. Manfred Koerth (DVfM 1962)	DE: Nordhausen 1963
Jolanthe	DA: Hans Schmidt (Jurgenson 1887)	DE: Hamburg 1893, Schwerin 1893

Deutsche Adaptionen von Chorwerken

Leise flüstern reine Lüfte (Insektenchor aus „Mandragora")	DA: unbekannt (Jurgenson 1904)
Der Kuckuck	DA: Ludwig Schuster (Leuckart 1954)
Die kleine Nachtigall	DA: Ludwig Schuster (Leuckart 1954)
Natur und Liebe (Frühling und Liebe)	DA: Ludwig Schuster (Leuckart 1956)
Die goldene Wolke schlief	DA: Hellmuth Pattenhausen (Robitschek 1965)
Warum der Freuden Stimmen wehren	DA: Hellmuth Pattenhausen (Robitschek 1965)

Deutsche Übersetzungen literarischer Werke von P. I. Tschaikowsky

Leitfaden zum praktischen Erlernen der Harmonie.
Übersetzt von Paul Juon
P. I. Jurgenson, Moskau und Leipzig (1904)

Erinnerungen und Musikkritiken. Deutsch von Heinrich Stümcke (nach „Musikkritischen Feuilletons" und „Tagebuch einer Reise", herausgegeben von S. P. Jakowlew, 1898)
Reclam, Leipzig (1899; Neudrucke 1921 und 1961)

Auszug daraus:

Erinnerungen eines Musikers. Deutsch von Heinrich Stümcke
Reclam (UB 6285/86), Leipzig (1922)

Tagebücher. Deutsch von O. Riesemann
Neue Musikzeitschrift, Stuttgart (1925)

Briefwechsel mit N. F. von Meck. Deutsch von W. E. Groeger (nach der Ausgabe von W. A. Shdanow und N. G. Schegin, engl. von C. Drinker-Bowen 1937)
Paul List Verlag, Leipzig (1938; Neudruck 1949)

wichtigste biographische Quelle:

Modest Tschaikowsky: **Das Leben Peter Iljitsch Tschaikowsky's**
Deutsch von Paul Juon
P. I. Jurgenson, Moskau und Leipzig (2 Bde.; 1900)